Mladen

CW01084434

CROATIAN THROUGH CONVERSATION

HRVATSKI U RAZGOVORU

Eighth Edition
Osmo izdanje

MOZAIK KNJIGA
ZAGREB 1996

PREFACE TO THE THIRD EDITION

The language course, *Croatian Through conversation* (third, revised and enlarged edition), is designed for all those in English-speaking countries, who want to acquire a basic knowledge of contemporary spoken Croatian. A phrase-book has been appended to help the tourist.

Croatian is the dominant spoken and literary language in western Jugoslavia, including the world-famous Dalmatian coast and Croatian Littoral. Dalmatia, expecially Dubrovnik, Split· and Hvar, was the cradle of Croatian literature, which has had a great and old tradition of five centuries.

Croatian is not only the Language of the Croats in Croatia; such language (ijekavian), with some differences, is also spoken in Bosnia and Herzegovina (Bosna i Hercegovina), Montenegro (Crna Gora) and western Serbia (zapadna Srbija).

It is hoped therefore that this book will be useful both to potentially serious students of Croatian culture and language and to curious and intelligent tourists. The lessons consist of situations in which the learner or tourist may very well find himself.

The book is published by Matica iseljenika Hrvatske (The Emigrant Center of Croatia), which is interested in giving people of our descent some information about the language and country of their ancestors.

The author

Zagreb 1972.

PREDGOVOR TREĆEM IZDANJU

Jezični tečaj *Hrvatski u razgovoru* (treće, prošireno i popravljeno izdanje) namijenjen je svima onima iz zemalja engleskoga jezičnog područja koji žele steći osnove suvremenoga govornog hrvatskog jezika. Knjizi je pridodan rječnik fraza da pomogne turistu pri njegovu prvom susretu sa stranom zemljom.

Hrvatskim govornim i književnim jezikom pretežno se govori u zapadnoj Jugoslaviji, uključujući i u svijetu poznatu dalmatinsku obalu i Hrvatsko primorje. Dalmacija, posebno Dubrovnik, Split i Hvar, kolijevka je hrvatske književnosti koja ima veliku i staru tradiciju od pet stoljeća.

Hrvatski jezik nije samo jezik Hrvata u Hrvatskoj; takvim se jezikom, uz neke razlike, također govori u Bosni i Hercegovini, Crnoj Gori i zapadnoj Srbiji.

Nadamo se da će knjiga biti korisna potencijalno ozbiljnim proučavateljima hrvatske kulture i jezika, a i radoznalom i inteligentnom turistu. Vježbe se sastoje od situacija iz svakidašnjeg života.

Knjigu je izdala Matica iseljenika Hrvatske, koja Matica želi da ljudima našeg podrijetla pruži neka osnovna znanja o zemlji i jeziku njihovih predaka.

Autor

Zagreb, 1972.

PREFACE TO THE FOURTH EDITION

The great demand for beginners course in contemporary literary Croatian written from the point of view of a foreign language learner has necessitated this fourth and enlarged edition of my language course *Croatian Through Conversation*. However, I have always been aware that a complete language course in contemporary Croatian for both native and non-native speakers, would require 100-150 lessons, and not 30, or only 24 short ones, as I was allowed to write in the first edition of my course. A complete course in Croatian, which could also serve as a guide through Croatian culture, civilization and history, remains a task awaiting some future writer.

The author

Zagreb 1981.

PREDGOVOR ČETVRTOM IZDANJU

Velika potražnja za početnicom suvremenoga hrvatskoga književnog jezika napisanom s gledišta strang učenika dovela je do ovoga četvrtog i proširenog izdanja tečaja *Hrvatski u razgovoru*. Međutim, oduvijek sam bio svjestan činjenice da bi cjelovit tečaj hrvatskog jezika i za domaćeg i za strang učenika zahtijevao 100–150 vježbi, a ne 30, ili samo 24 kratke, koliko mi je bilo dopušteno napisati u prvome izdanju. Cjelovit tečaj hrvatskog jezika, koji bi mogao poslužiti i kao vodič kroz hrvatsku kulturu, civilizaciju i povijest, zadatak je koji očekuje budućeg pisca.

Autor

Zagreb, 1981.

PREFACE TO THE SEVENTH EDITION

The constant demand for this book has occasioned its seventh impression. Some people use it for learning Croatian, some for learning English. All of this proves that there is some secret virtue in the book.

I feel great joy when people of Croatian descent or people of foreign nationality tell me that they have learnt Croatian from my language course. This makes me think of writing another, thoroughly revised and enlarged edition, in fact, of a completely new Croatian language course.

The author

Zagreb 1993.

PREDGOVOR SEDMOM IZDANJU

Neprestana potreba za ovom knjigom, dovela je, eto, i do njezina sedmog izdanja. Nekima ona služi za učenje hrvatskoga, nekima za učenje engleskoga. Sve to dokazuje da knjiga posjeduje i neke skrivene vrline.

Najveću radost osjećam kada mi ljudi hrvatskog podrijetla ili pak strani državljani kažu da su hrvatski naučili iz mog udžbenika. I to me navodi na pomisao o novome, popravljenom i proširenom izdanju, zapravo, o posve novome jezičnom tečaju hrvatskog jezika.

Autor

Zagreb, 1993.

SADRŽAJ (CONTENTS)

1. vježba (Prva vježba)

DOBRO JUTRO

— 15

1. The Latin Alphabet. 2. Accents. 3. Pronunciation. 4. Vowels. 5. The vowel *a*. 6. The vowel *o*. 7. Consonants. 8. The vowel (consonant) *r*. 9. The consonant *r* used as a vowel. 10. The consonant *c*. 11. The consonant *ž*. Exercises.

2. vježba (Druga vježba)

ŠTO RADITE?

— 20

1. The vowel *e*. 2. The vowel *u*. 3. The vowel *i*. 4. The consonant *j*. 5. The consonant *d*. 6. The consonant *b*. 7. The consonant *š*. 8. The consonant *č*. 9. The consonant *ć*. 10. The consonant *g*. 11. The consonant *t*. 12. The consonant *k*. Exercises.

3. vježba (Treća vježba)

GOVORITE LI HRVATSKI

— 26

1. Adjectives. 2. The consonant *p*. 3. The consonant *m*. 4. The consonant *v*. 5. The consonant *h*. 6. The consonant *n*. 7. The consonant *s*. 8. The consonant *l*. 9. The consonant *z*. Exercises.

4. vježba (Četvrta vježba)

DOLAZAK U ZAGREB

— 31

1. The Present Tense of the verb *biti* (to be). 2. *TI* (thou, you) and *vi* (you). 3. Nouns. 4. Absence of the Article. 5. Pronouns. 6. The consonant *đ*. Exercises.

5. vježba (Peta vježba)

U HOTELU „ESPLANADE–INTERKONTINENTAL" — 36

1. The Present Tense of the verb *imati* (to have). 2. Nouns. 3. Adjectives. 4. The conjunction *i* (and). 5. The consonant *dž*. Exercises.

6. vježba (Šesta vježba)

DORUČAK — 42

1. Declension of masculine nouns. 2. The noun *cvijeće* (flowers). 3. The Present Tense of the verb *voljeti* (to like). 4. Adjectives. 5. Pronouns. 6. The consonant *nj*. Exercises.

7. vježba (Sedma vježba)

NA PUTU DO »MATICE« — 49

1. Plural of monosyllabic masculine nouns. 2. Mobile *a*.

8. vježba (Osma vježba)

HRVATSKA MATICA ISELJENIKA — 53

1. Declension of feminine nouns. 2. Neuter nouns. 3. The infinitive. Exercises.

9. vježba (Deveta vježba)

RAZGOVOR U »MATICI« — 58

1. The Present Tense of the verb *ići* (to go). 2. Feminine nouns. Exercises.

10. vježba (Deseta vježba)

U AUTOMOBILU — 65

1. Declension of neuter nouns. 2. Adjectives. 3. Prepositions. Preposition *u* (in, to, into). Exercises.

11. vježba (Jedanaesta vježba)
——————————————————————————— 71
OBJED

1. Consonental changes. 2. Mobile *a*. 3. Prepositions (continued). Preposition *na* (on, for, in). Exercises.

12. vježba (Dvanaesta vježba)
——————————————————————————— 78
U PRODAVAONICI GRAMOFONSKIH PLOČA

1. The Present Tense of the verb *kupovati* (to buy). 2. Possesive pronouns. 3. Prepositions (continued). Preposition *o* (about). Exercises.

13. vježba (Trinaesta vježba)
——————————————————————————— 85
U BANCI

1. The Present Tense of the verb *moći* (to be able). 2. Verbs (repetition). Exercises.

14. vježba (Četrnaesta vježba)
——————————————————————————— 91
U »SAMOBORCU«

1. Reflexive verbs. 2. Adjectives. Exercises.

15. vježba (Petnaesta vježba)
——————————————————————————— 98
NA BALKONU BAKINE KUĆE

1. Indefinite adjectives. 2. Declension of indefinite adjectives. Exercises.

16. vježba (Šesnaesta vježba)
——————————————————————————— 103
U PRODAVAONICI NARODNIH RUKOTVORINA

1. Declension of definite adjectives. 2. The usage of the indefinite and the definite adjective. Exercises.

17. vježba (Sedamnaesta vježba)

U RESTORANU »LAVICA«

110

1. The Present Tense of the verb *htjeti* (to want, to wish for). Exercises.

18. vježba (Osamnaesta vježba)

ISELJENIČKI PIKNIK U SAMOBORU

115

1. Future Tense. 2. The interrogative conjunction *zar*. 3. Prepositions (continued). Preposition *za* (for, behind). Exercises.

19. vježba (Devetnaesta vježba)

NA POVRATKU IZ KINA

121

1. Declension of feminine nouns (continued). 2. Prepositions (continued). Preposition *iz* (from). Exercises.

20. vježba (Dvadeseta vježba)

ŠETNJA SAMOBOROM

127

1. The Perfect Tense of the verb *biti* (to be). 2. The active past participle. 3. The pronouns *one* (they) i *ona* (they). 4. The infinitive base. 5. Verbs with irregular participles. 6. Prepositions (continued). Preposition *do* (to, as far as, till, untill). Exercises.

21. vježba (Dvadeset prva vježba)

IZLET U HRVATSKO ZAGORJE

134

1. The use of the Perfect Tense. 2. The active past participles of the verbs *reći* (to say) and *jesti* (to eat). Exercises.

22. vježba (Dvadeset druga vježba)

NA BLAGAJNI KAZALIŠTA
———————————————————— 138

1. Personal pronouns and the reflexive pronouns *sebe* or *se*. 2. The declension of personal pronouns and of the pronoun *sebe (se)*. 3. The Accusative singular of the personal pronouns *on* and *ona*. 4. Prepositions (continued). The preposition *nasuprot* (opposite, facing). Exercises.

23. vježba (Dvadeset treća vježba)

NA OPERI U HRVATSKOM NARODNOM KAZALIŠTU
———————————————————— 145

1. Enclitics. 2. Order of unstressed personal pronouns und the reflexive pronoun *sebe* used in the context. 4. The reflexive pronoun *sebe* or *se*. Exercises.

24. vježba (Dvadeset četvrta vježba)

ŠETNJA GORNJIM GRADOM
———————————————————— 151

1. Assimilation caused by *j*. 2. The adjective stem. 3. The comparative. 4. The superlative. 5. Irregular adjectives. 6. The declension of the comparative and the superlative. 7. *Than* after a comparative or superlative. 8. Prepositions (continued). Preposition *s, sa* (with). Exercises.

25. vježba (Dvadeset peta vježba)

VOŽNJA JADRANSKOM MAGISTRALOM
———————————————————— 159

1. The Present Conditional. 2. Prepositions (continued). Preposition *kraj* (near, beside). Exercises.

26. vježba (Dvadeset šesta vježba)

HRVATSKA BRATSKA ZAJEDNICA
———————————————————— 164

1. Verbal aspect. 2. Imperfective and perfective verbs. 3. Voiced and unvoiced consonants. 4. Consonental changes. Exercises.

27. vježba (Dvadeset sedma vježba)

171

DUBROVNIK

1. The imperative. 2. Negative imperative. 3. The imperative of *reći* (to say) and *pomoći* (to help). 4. The active past participle of the verb *ići* (to go). 5. Adjectival adverbs. 6. Prepositions (continued). Prepositions *od* (from, of, than), *kod* (at), *duž* (along), and *osim* (besides). Exercises.

28. vježba (Dvadeset osma vježba)

177

HOTEL „CROATIA" U CAVTATU

1. Affirmative and negative forms of the verb *biti* (to be). 2. Demonstrative pronouns *ovaj, taj* and *onaj* Exercises.

29. vježba (Dvadeset deveta vježba)

183

OJ, BUDI SVOJ!

1. Four different stems of the verb *biti* (to be). 2. The imperative of *biti* (to be). The possessive pronoun *svoj, a, e.* 4. The declension of the possessive pronoun *svoj, a, e.* The word *sam.* Exercises.

30. vježba (Trideseta vježba)

189

DO VIĐENJA IDUĆE GODINE

PHRASE–BOOK FOR TOURISTS

(RJEČNIK FRAZA ZA TURISTE)

1. GREETINGS – EVERYDAY EXPRESSIONS – SHOPPING (POZDRAVI – SVAKIDAŠNJI IZRIČAJI – KUPOVANJE) 195
2. FOOD AND DRINK (HRANA I PIĆE) In the restaurant: Breakfast, Lunch and Dinner (U restoranu: Doručak, objed i večera). 197

3. IN THE HOTEL (U HOTELU)   203

4. IN THE BANK (U BANCI)   205

5. TIME – THE DAYS OF THE WEEK – THE
   NAMES OF THE MONTHS – SEASONS
   AND POINTS OF THE COMPASS – THE
   WEATHER (VRIJEME – DANI U TJEDNU
   – IMENA MJESECI – GODIŠNJA DOBA I
   STRANE SVIJETA – VRIJEME)   206

6. NUMERALS (BROJEVI)
   a) Cardinal Numerals (Glavni brojevi), b) Ordi-
   nal numerals (Redni brojevi)   209

7. Dictionary (Rječnik)   213

8. Index (Kazalo)   249

1. vjèžba (Pŕva vjèžba)

DÒBRO JÙTRO

Mary: Dòbro jŭtro, djèco.
Jane: Dòbro jùtro, màma.
Joseph: Dòbro jùtro.
Edward: Dòbro jùtro, tàta.
Mary: Kàko ste, djèco?
John: Dòbro.
Jane: Vŕlo dòbro.
Joseph: Štò rádite?
John: Ùčimo.
Joseph: Štò?
John: Ùčimo hŕvatski jèzik.

Words and phrases

prva (f.)	– first
vježba (f.)	– lesson
dobro	– good, well, fine
jutro (n.)	– morning
dobro jutro	– good morning
djeco	– children; *djeco* is the vocative plural of the word *dijete* (n.)
mama (f.)	– mother
tata (m.)	– father
kako ste?	– how are you?
kako ste, djeco?	– how are you, children?
dobro	– well, fine
vrlo dobro	– very well, just fine
što?	– what?
što radite?	– what are you doing?
učimo	– we are learning (studying)
hrvatski (m,)	– Croatian
jezik (m.)	– language
učimo hrvatski jezik	– we are learning Croatian

Conversational expressions

dobro jutro — good morning
što radite? — what are you doing?
učimo hrvatski jezik — we are learning Croatian

Grammatical explanation

1. The Latin Alphabet

In the Croatian language there is one alphabet: the Latin. It is called *abeceda* or *alfabet*.

A, B, C, Č, Ć, D, DŽ, Đ, E, F, G, H, I, J, K, L, LJ, M, N, NJ, O, P, R, S, Š, T, U, V, Z, Ž.

In the Croatian language there are 5 vowels and 25 consonants.

Vowels: a, e, i, o, u

Consonants: b, c, č, ć, d, dž, đ, f, g, h, j, k, l, lj, m, n, nj, p, r, s, š, t, v, z, ž

2. Accents

The Croatian accent system is not simple; in rural regions it is especially complicated, involving word tone and vowel length after the accented syllable. The accent can fall on any syllable, but usually occurs on the first and only very rarely on the last.

For the sake of simplicity two accents are used in this book: the short (`) e.g. djèco, and the long (′), e.g. Zágreb. The accent makes the syllable on which it falls short or long. Short and long syllables in Croatian roughly correspond to short and long syllables in English, e.g.: lùk (m.) – onion, lúk (m.) – bow, arch; fit (be the right measure for), feet (plural of foot).

The sign – is used to denote the lenght of a vowel after the accentuated syllable, e. g. ràzglēdam (I am having a look around).

3. Pronunciation

In the Croatian language almost every letter is pronounced. There are no silent letters as in English.

Remember: *In Croatian almost every letter is pronounced as it is written.*

4. Vowels

There are 5 vowels in the Croatian language: *a, e, i, o, u*. The consonant *r* may also be used as a vowel.
All the vowels are pronounced very clearly. The pronunciation of the vowels is not affected by their position in the word or by the stress of the word.
Remember: *In Croatian there are no diphthongs.*

5. The vowel *a*

The vowel *a* is similar to the first element of the English diphthong *au* (out, shout). Vowel *a* is more closed than English *a* in *father* and more open than English *a* in fat.

Exercises:

tata (father)	Amerika (America)	sad (now)
mama (mother)	kava (coffee)	baka (grandmother)
tama (darkness)	učenica (pupil)	kako (how)

6. The vowel *o*

The vowel *o* is similar to the first element of the English diphthong *ou* (know, though). The pronunciation of the vowel *o* is somewhere between the corresponding vowels in the English words *hot* and *ought* (roughly like American »ought«).

Exercises:

dobro (well, fine)	kasno (late)	more (sea)
ovo (this)	soba (room)	vino (wine)
ovdje (here)	pod (floor)	kako (how)

7. Consonants

The pronunciation of the consonant is approximately the same as that of their English equivalents. The difference between Croatian and English consonants is that the consonants in Croatian are pronounced as they are written.

8. The vowel (consonant) *r*

Rolled or trilled *r* (prva, Zagreb) is pronounced like Scottish *r* in *berry;* it is not like the English sound but more like the German *r;* it is trilled (rolled) with one »tap«. The tip of the tongue should be pressed against the teeth ridge (the upper gum ridge). The tongue vibrates against the teeth ridge.

Exercises:

prva (first)	dobro (well, fine)
jutro (morning)	raditi (to work)
vrlo (very)	hrvatski (Croatian)

9. The consonant *r* used as a vowel

The consonant *r* may be used as a vowel when it occurs:

a) between two consonants e. g.

vrlo (very)	krv (blood)
vrt (garden)	smrt (death)
prst (finger)	trg (square)

b) initially, i. e. at the beginning of a word before another consonant e.g.

rt (headland, promontory)
rđa (rust)
rđav (bad)

10. The consonant *c*

C is always pronounced *ts* (cats, lots). It is never pronounced *k* or *s*.

Exercises:

djeca (children)	blagovaonica (dining–room)
crven (red)	cvijeće (flowers)
crn (black)	starac (old man)

11. The consonant *ž*

The consonant *ž* is pronounced like the *s* in *measure* or *leisure.*

Exercises:

vježba (lesson)	žena (woman)
muž (husband)	željeti (to want)
živjeli (cheers)	žedan (thirsty)

Exercises

Translate into Croatian:
(I)
1. Good morning.
2. How are you?
3. Very well.
4. What are you doing?
5. We are learning Croatian.

2. vjèžba (Drùga vjèžba)

ŠTÒ RÀDITE?

Joseph:	Dòbar dán, djèco.
Svì:	Dòbar dán.
Joseph:	Štò rádite?
Edward:	Ùčimo
Joseph:	Štò ùčite?
Edward:	Ùčimo hȑvatski. Ùčimo svàki dán.
Jane:	Dòbar dán. Dòbro jùtro. Dòbar vèčer. Kàko ste? Štò ràdite? Làku nóć.
Edward:	Izvòlite sjèsti. Jèste li ùmorni?
John:	Žèlite li cigarètu? Žèlite li nèšto pòpiti?
Mary:	Ìzvrsno, djèco. Pa vi vèć gòvorite hȑvatski.
John:	Dà, ali màlo.

Words and phrases

druga (f.)	– second
dobar dan	– good day (literal translation); the Croats say *dobar dan* practically the whole day except early in the morning, when they say *dobro jutro*, or in the evening, when they say *dobro veče* or *dobar večer* or *dobra veče* (the noun evening can be masculine (večer), feminine (veče) or neuter (veče)
svi	– all
što učite?	– what are you learning (studying)?; *učite* is the second person plural of the verb *učiti* (to learn, to study)
svaki	– every
dan	– day
svaki dan	– every day
dobar večer	– good evening
laku noć	– good night
izvolite sjesti	– please (do) sit down; take a seat, please
jeste li umorni?	– are you tired?

želite li?	– do you want?; would you like?
cigareta (f.)	– cigarette
želite li cigaretu?	– do you want a cigarette?
nešto	– something
popiti	– drink
želite li nešto popiti?	– would you like something to drink?
izvrsno	– excellent
pa	– then, so, and, but
vi	– you
već	– already
pa vi već govorite hrvatski	– but you already speak Croatian
da	– yes
ali	– but
malo	– a little
da, ali malo	– yes, just a little

Conversational expressions

21

dobar dan	– good day (literal translation)
svaki dan	– every day
dobar večer	– good evening
laku noć	– good night
izvolite sjesti	– please (do) sit down; take a seat, please
želite li cigaretu?	– do you want a cigarette?
želite li nešto popiti?	– would you like something to drink?
malo	– a little

Grammatical explanation

---

1. The vowel *e*

The vowel *e* is similar to the English vowel *e* in words like *men* or *bed*.

Exercises:

med (honey)	žena (wife)
vježba (lesson)	sestra (sister)
djeca (children)	učenica (pupil)

2. The vowel *u*

The vowel *u* is similar to the corresponding English vowel in words like *room, two, new,* or *few*. But it is shorter.

Exercises:

luk (onions)
student (student)
kruh (bread)

jutro (morning)
učimo (we are learning)
umorni (tired)

3. The vowel *i*

The vowel *i* is similar to the corresponding English vowel in words like *she, we* or *key*. However, it is shorter.

Exercises:

mi (we)
pivo (beer)
govoriti (speak)

izvolite (please)
učimo (we are learning)
popiti (to drink)

4. The consonant *j*

The consonant *j* is always pronounced like the *y* in *yes* or *you*.

Exercises:

jutro (morning)
djeca (children)
jezik (language)

sjesti (to sit down)
još (still)
lijepo (nice)

5. The consonant *d*

The consonant *d* is somewhat different from its English counterpart. It is pronounced by pressing the tip of the tongue against the back of the upper teeth, and not against the teeth ridge (the upper gum ridge) as in English.

Exercises:

dobro (well, fine)
djeca (children)
da (yes)

druga (second)
doručak (breakfast)
gladan (hungry)

6. The consonant *b*

The consonant *b* is similar to the corresponding English consonant in words like *bell, bill,* and *book.*

Exercises:

dobro (well, fine)	vježba (lesson)
dobar dan (good morning)	brat (brother)
Zagreb (Zagreb)	soba (room)

7. The consonant *š*

The consonant š *(što)* is pronounced *sh* (show, shed).

Exercises:

što (what)?	pošta (post-office)
šest (six)	štap (walking-stick)
još (still)	naš (our)

8. The consonant *č*

The consonant *č* is popularly called *hard* *č* (učimo) and is pronounced *ch* (archer, church). It is pronounced with tongue pressure against the teeth ridge (the upper gum ridge.)

Exercises:

učimo (we are learning)	čist (clean)
doručak (breakfast)	sunčan (sunny)
čaj (tea)	pločnik (pavement)

9. The consonant *ć*

The consonat *ć* is popularly called *soft* *ć* (Juranić, noć) and is pronounced like *t* in *tune.* More precisely, the sound *ć* is somewhere between *ch* of *chalk* and *tu* of *tune.* To pronounce the sound correctly the tip of the tongue should be lightly pressed against the front palate (gum).

Exercises:

noć (night)	cvijeće (flowers)
već (already)	komadić (small piece)
kći (daughter)	kuća (house)

10. The consonant g

The consonant g is similar to the corresponding English sound g. It is pronounced like the g in *get*, and never like the g in *gentle*.

Exercises:

druga (second)   Zagreb (Zagreb)
cigareta (cigarette)   supruga (wife)
govoriti (to speak)   grad (town)

11. The consonant t

The consonant t in Croatian is not quite the same as its corresponding sound t in English. It is not pronounced with the strong puff of breath (aspiration) which is found in the English sound t. It is therefore less emphatic.

Exercises:
jutro (morning)   što (what)?
tata (father)   što radite (what are you doing)?
hrvatski (Croatian)   nešto (something)

12. The consonant k

The consonant k is not quite the same as its corresponding sound k in English. It is not pronounced with the strong puff of breath (aspiration) often found in the English sound k. It is therefore less emphatic than in English.

Exercises:
kako (how)?   laku noć (good night)
hrvatski (Croatian)   svaki (every)
jezik (language)   cigareta (cigarette)

Translate into Croatian:
(I)

1. Good day. Good morning. Good evening. Good night.
2. Take a seat, please. Are you tired?
3. Do you want a cigarette? Would you like something to drink?
4. But you already speak Croatian.
5. We are learning Croatian.

Translation from Lesson 1:
(I)

1. Dobro jutro.
2. Kako ste?
3. Vrlo dobro.
4. Što radite?
5. Učimo hrvatski.

3. vježba (Treća vježba)

GÒVORITE LI HR̀VATSKI?

Mary: Dòbar dán djèco. Kàko ste? Štò rádite?
John: Dòbar dán, màma. Kàko si ti? Izvòli sjèsti.
Mary: Hvála, dòbro.
Jane: Dòbar dán, máma, John, Edward i ja ùčimo hr̀vatski.
Edward: Dòbar dán, máma. Kàko si? Jèsi li ùmorna?
Mary: A jèsi li ti ùmoran? Johne i Jane, jèste li vi ùmorni?
John: Ǹismo ùmorni, ùzbuđeni smo – jer sùtra pùtujemo u Zágreb.
Mary: Gòvorite li hr̀vatski.
Edward: Dà, màlo. Gòvorim màlo hr̀vatski. Màlo gòvorimo, mnògo ùčimo.
Mary: Ǹisam ùmorna, ùzbuđena sam – jer sùtra pùtujemo u Zágreb. Nàš Zágreb.

26

Word and phrases

treća (f.)	– third
ti	– you (thou); *ti* is the first person singular of the pronoun *ti*. It is used in addressing relatives, friends, and children.
kako si (ti)?	– how are you?
izvoli sjesti	– take a seat, please; *izvoli* is the second person singular of the verb *izvoljeti*; the form *izvoli* is used in addressing close friends or relatives.
hvala, dobro	– thank you, very well; thanks, fine
i	– and
ja	– I
umorna (f.)	– tired
jesi li umorna?	– are you tired?
umoran (m.)	– tired
jesi li umoran?	– are you tired?
vi	– you
nismo	– we are not

nismo umorni	– we are not tired
uzbuđeni smo	– we are excited
jer	– because
sutra	– tomorrow
putujemo	– we are travelling
jer sutra putujemo	– because we are travelling
u Zagreb	to Zagreb tomorrow
govorite li hrvatski?	– do you speak Croatian?
da, malo	– yes, a little
govorim malo hrvatski	– I speak a little Croatian
mnogo	– a lot
malo govorimo, mnogo	– we speak a little, we
učimo	learn (study) a lot
nisam	– I am not
uzbuđena (f.) sam	– I am excited
sutra putujemo u Zagreb	– we are travelling to Zagreb tomorrow
naš	– our

Conversational expressions

kako si (ti)?	– how are you?
izvoli sjesti	– take a seat, please
hvala, dobro	– thank you, very well; thanks, fine
jesi li (ti) umorna (f.)?	– are you tired?
jesi li (ti) umoran (m.)?	– are you tired?
nismo umorni	– we are not tired
uzbuđeni smo	– we are excited
govorite li hrvatski?	– do you speak Croatian?
da, malo	– yes, a little
govorim (m.) malo hrvatski	– I speak a little Croatian
nisam	– I am not
sutra putujemo u Zagreb	– we are travelling to Zagreb tomorrow

Grammatical explanation

1. Adjectives

Masculine

Jesi li umoran?	Are you tired?
Da, umoran sam.	Yes, I am tired.
Ne, nisam umoran.	No, I am not tired.

Feminine

Jesi li umorna?	Are you tired?
Da, umorna sam.	Yes, I am tired.
Ne, nisam umorna.	No, I am not tired.

Plural

Jeste li umorni?	Are you tired?
Da, umorni smo.	Yes, we are tired.
Ne, nismo umorni.	No, we are not tired.

2. The consonant *p*

The consonant *p* in Croatian is not quite the same as its corresponding sound *p* in English. It is not pronounced with the strong puff of breath (aspiration) often found in the English sound *p* (pot, part, pipe). It is therefore less emphatic.

Exercises:

prva (first)	lijepo (nice)
popiti (to drink)	plav (blue)
prijatelj (friend)	supruga (wife)

28

3. The consonant *m*

The consonant *m* (mama) in Croatian is similar to its corresponding sound *m* in English (man).

Exercises:

mama (mother)	malo (a little)
učimo (we are learning)	moj (my)
umoran (tired)	hvala vam (thank you)

4. The consonant *v*

The consonant *v* (prva) in Croatian is similar to its corresponding sound *v* in English (vast).

Exercises:

vježba (lesson)	izvolite (please)
vrlo (very)	već (already)
večer (evening)	govoriti (to speak)

5. The consonant *h*

The Croatian *h* is somewhat different from the English h. To pronounce this sound, the student should prepare his organs of speech for the pronunciation of the English sound *k* and then let the air »scrape« over the back of the tongue. The sound *h* is similar to its German equivalent in *ach* but it has much less force.

Exercises:

hrvatski (Croatian)
Hrvatska (Croatia)
Hrvat (Croat)

hotel (hotel)
hvala vam (thank you)
juha (soup)

6. The consonant *n*

The consonant *n* (dan) in Croatian is similar to its corresponding sound *n* in English (ton).

Exercises:

dan (day)
noć (night)
nešto (something)

žena (woman)
učcnica (pupil)
student (student)

7. The consonant *s*

The consonant *s* (svaki) in Croatian is similar to its corresponding sound *s* in English (pass). It is always pronounced *s* (sir), and never *z* or *sh*.

Exercises:

svaki (every)
kako ste (how are you)?
sjesti (to sit down)

jeste li (are you)?
izvrsno (excellent)
hrvatski (Croatian)

8. The consonant *l*

The consonant *l* (lijepa) is similar to its corresponding sound *l* (light) in English.

Exercises:

laku noć (good night)
izvolite sjesti (take a seat, please)
jeste li (are you)?

želite li (do you want)?
malo (a little)
lijep (nice)

9. The consonant z

The consonant z (Zagreb) in Croatian is similar to its corresponding sound z (zip) in English.

Exercises:

Zagreb (Zagreb)
zima (winter)
dolazak (arrival)

zaista (really)
razgovarati (to talk)
zato (therefore)

Exercises

30 **Translation from Lesson 2:**
(I)
1. Dobar dan. Dobro jutro. Dobar večer. Laku noć.
2. Izvolite sjesti. Jeste li umorni?
3. Želite li cigaretu? Želite li nešto popiti?
4. Pa vi već govorite hrvatski.
5. Učimo hrvatski jezik.

4. vježba (Četvrta vježba)

DOLAZAK U ZAGREB

Stjepan: Dobro došli u Zagreb! Ja sam Stjepan Kovačić, a ovo je moj prijatelj Ivan Juranić.

Joseph: Ja sam Joseph Smith, a ovo je moja žena Mary.

Mary: Drago mi je. Ovo su John, Edward i Jane.

John: Ja sam John Smith, a ovo je moj brat Edward. Ovo je moja sestra Jane.

Jane: Ja sam učenica. John je student. Edward je također student.

Stjepan: Ovo je hotel »Esplanade–Intercontinental«. Izvolite ući.

Mary: Hvala. Ovdje je vrlo lijepo.

Stjepan: Jeste li umorni? Kasno je.

Mary: Da. umorni smo. Hvala vam. Do viđenja sutra.

Svi: Do viđenja. Laku noć.

Words and phrases

četvrta (f.)	– fourth
vježba (f.)	– lesson
dolazak (m.)	– arrival
u	– in
Zagreb	– Zagreb, capital of Croatia
dobro došli	– welcome
ja sam	– I am
a	– and
ovo je	– this is
moj (m.s.)	– my
prijatelj (m.)	– friend
moja (f.s.)	– my
žena (f.)	– wife
drago mi je	– I am glad
ovo su	– here are (literally: those are)
brat (m.)	– brother
sestra (f.)	– sister
učenica (f.)	– pupil
student (m.)	– student

također	– also, too
hotel (m.)	– hotel
izvolite ući	– please, con.e in
hvala	– thank you
ovdje	– here
ovdje je vrlo lijepo	– it is very nice here
jeste li umorni	– are you tired
kasno je	– it is late
hvala vam	– thank you
do viđenja sutra	– so long (till) to-morrow
laku noć	– good night

Conversational expressions

dobro došli	– welcome
drago mi je	– I am glad
izvolite ući	– please, come in
hvala; hvala vam	– thank you
kasno je	– it is late
ovdje je vrlo lijepo	– it is very nice here
do viđenja	– so long
laku noć	– good night

32

Grammatical explanation

1. The Present Tense of the verb *biti* (to be)

Affirmative

Short Form	Long Form	
S i n g u l a r		**S i n g u l a r**
ja sam	jesam	I am
ti si	jesi	you are
on je	jest	he is
ona je	jest	she is
ono je	jest	it is
P l u r a l		**P l u r a l**
mi smo	jesmo	we are
vi ste	jeste	you are
oni su	jesu	they are

Interrogative

Singular	Singular
jesam li (ja)?	am I?
jesi li (ti)?	are you?
je li (on)?	is he?
je li (ona)?	is she?
je li (ono)?	is it?
Plural	**Plural**
jesmo li (mi)?	are we?
jeste li (vi)?	are you?
jesu li (oni)?	are they?

Negative

Singular	Singular
(ja) nisam	I am not
(ti) nisi	you are not
(on) nije	he is not
(ona) nije	she is not
(ono) nije	it is not
Plural	**Plural**
(mi) nismo	we are not
(vi) niste	you are not
(oni) nisu	they are not

The verb *biti* (to be) has two forms of the Present Tense, a Long Form and a Short Form.

The Long Form is more emphatic. It is used:

(I) When the verb occurs as the first word of the sentence e.g.

Jesam li (ja) student?	Am I a student?
Jeste li (vi) učenica?	Are you a pupil?
Jeste li (vi) umorni?	Are you tired?

(II) When the verb stands alone, usually in answer to a question e.g.

Jeste li student?	Are you a student?
Da, *jesam.*	Yes, I am.

Jeste li umorni?	Are you tired?
Da, *jesmo*.	Yes, we are.

The Short Form is used on all other occasions, especially in conversation.

2. Ti (thou, you) and *vi* (you)

Ti corresponds to the older English form *thou* or to the French form *tu*. It is used in addressing relatives, close friends, and children e.g.

Jane, jesi li (ti) učenica?	Jane, are you a pupil?
Johne, jesi li (ti) umoran?	John, are you tired?

Vi is the polite form of address e.g.

Jeste li (vi) umorni?	Are you tired?

3. Nouns

Masculine nouns usually end in a consonant e.g.
     dolazak, Zagreb, prijatelj, brat, student, hotel.
Feminine nouns usually end in – *a* e.g.
     žena, sestra, učenica.

4. Absence of the Article

In Croatian there are no articles e.g.

On je student.	He is a student.
Student je ovdje.	The student is here.

5. Pronouns

moj (m.), moja (f.) – my

m a s c u l i n e	f e m i n i n e
moj prijatelj (my friend)	moja žena (my wife)
moj brat (my brother)	moja sestra (my sister)
moj student (my student)	moja učenica (my pupil)

6. The consonant đ

The consonant đ (također) is pronounced like the *dg* in *bridge*. More precisely, the consonant đ is somewhere between the *dg* of *bridge* and *dew* of *dew*. To pronounce this sound, the student should lightly press the tip of the tongue against the lower teeth.

Exercises:

đak (pupil)
također (also)
do viđenja (so long)

gospođa (lady, madam)
rođak (relative)
predgrađe (suburb)

Exercises (Vježbe)

Read and translate:
(I)
Ja sam učenica. Jesam li ja učenica? Da, ja sam učenica. Ti si učenica. Jesi li ti student? Ne, nisam. Ona je učenica. Je li ona učenica? Da, ona je učenica. On je moj brat. Je li on moj brat? Da, on je moj brat. Mi smo umorni. Vi ste također umorni. Jeste li vi umorni? Ne, mi nismo umorni. John i Edward su umorni. Jesu li oni umorni? Da, oni su umorni. Jane nije umorna. Je li ona umorna? Ne, ona nije umorna. Stjepan i Ivan nisu umorni. Kasno je. Laku noć.

5. vježba (Peta vježba)

U HOTELU »ESPLANADE–INTERCONTINENTAL«

Stjèpan: Dòbro jùtro.
Joseph: Dòbro jùtro. Izvòlite ući.
Stjèpan: Òvo je mòja sùpruga Àna.
Joseph: Òvo je mòja sùpruga Mary.
Àna: Drágo mi je. Kàko ste?
Mary: Drágo mi je. Vŕlo dòbro. Òvdje je zàista lijépo. Ìmamo dívnu sòbu. Sòba ìma vèlik bàlkon.
Jane: Dòbro jùtro.
Mary: Ovò je mòja kći Jane.
Àna: Drágo mi je, Jane. I já ìmam kćér. Òna je jòš màlo dijéte. A ìmam i sína.
Joseph: John i Edward jòš su u krèvetu. Òni su ùmorni.
Stjèpan: A jèsi li tí ùmorna, Jane?
Jane: Nè, já nísam ùmorna.
Kònobar: Mòlim, dòručak je gòtov.
Jane: Mòlim vas, štò ìmamo za dòručak?
Kònobar: Za dòručak ìma bijéla kàva, krùh, màslac i džèm. Svè je na stòlu.
Jane: Hvàla vam. Já sam glàdna.

Words and phrases

peta (f.) – fifth
u hotelu – in the hotel
dobro (n.s.) – good
jutro (n.) – morning
dobro jutro – good morning
supruga (f.) – wife
kako ste? – how are you?
vrlo – very
vrlo dobro – very well
zaista – reallv
ovdje je zaista lijepo – ıt is really nice here

imamo	– we have
divna (f.s.)	– beautiful, gorgeous
soba (f.)	– room
velik (m.s.)	– large, big
balkon (m.)	– balcony
kći (f.)	– daugther, *kćer* is the Accusative of *kći*
još	– still
malo (n.s.)	– small
dijete (n.s.)	– child
ali	– but
i	– also, too, and
u krevetu	– in bed
umorna (f.s.)	– tired
konobar (m.)	– waiter
molim	– please
doručak (m.)	– breakfast
doručak je gotov	– breakfast is ready
molim vas	– please
što	– what
što imamo za doručak?	– what have we got for breakfast
za doručak ima	– breakfast consists of
bijela (f.s.)	– white
kava (f.)	– coffee
kruh (m.)	– bread
maslac (m.)	– butter
džem (m.)	– jam
sve	– everything, all
stol (m.)	– table
na stolu	– on the table
gladna (f.s.)	– hungry

37

Conversational expressions

dobro jutro	– good morning
kako ste?	– how are you?
vrlo dobro	– very well
ovdje je zaista vrlo lijepo	– it is really very nice here
doručak je gotov	– breakfast is ready
molim; molim vas	– please
molimo vas, što imamo za doručak	– what have we got for breakfast, please?

1. The Present Tense of the verb *imati* (to have)

ima-ti	– the infinitive
-ti	– the ending of the infinitive
im-	– the present tense base

Affirmative

Singular	Singular
(ja) imam	I have
(ti) imaš	you have
(on) ima	he has
(ona) ima	she has
(ono) ima	it has
Plural	**Plural**
(mi) imamo	we have
(vi) imate	you have
(oni) imaju	they have

Interrogative

Singular	Singular
imam li (ja)?	have I?
imaš li (ti)?	have you?
ima li (on)?	has he?
ima li (ona)?	has she?
ima li (ono)?	has it?
Plural	**Plural**
imamo li (mi)?	have we?
imate li (vi)?	have you?
imaju li (oni)?	have they?

Negative

Singular	Singular
(ja) nemam	I have not
(ti) nemaš	you have not
(on) nema	he has not
(ona) nema	she has not
(ono) nema	it has not
Plural	**Plural**
(mi) nemamo	we have not
(vi) nemate	you have not
(oni) nemaju	they have not

2. Nouns

	Masculine		Feminine	Neuter
Nom. sing. *Acc. sing.*	Inanimate balkon balkon	Animate sin sina	soba sobu	dijete dijete

The Accusative is usually used after transitive verbs followed by an object.

In the masculine singular the Accusative is as the Nominative if the noun is inanimate but has the ending – *a* (the ending of the Genitive) if the noun is animate e.g.

Nom. sing.	Soba ima balkon	The room has a balcony
Acc. sing.	Imamo sina.	We have a son.

In the feminine singular the Accusative is not like the Nominative e.g.

Nom. sing. Ovo je divna soba.
This is a beautiful room.

Acc. sing. Imamo divnu sobu.
We have a beautiful room

In the neuter singular the Accusative is like the Nominative e.g.

Nom. sing. Ovo je dobro dijete.
This is a good child.

Acc. sing. Imate dobro dijete.
You have a good child.

The feminine noun *kći* (daughter) is irregular. *Kćer* is the Accusative of *kći*.

3. Adjectives

dobar (m.), dobra (f.), dobro (n.) – good

m a s c u l i n e	f e m i n i n e	n e u t e r
umoran sin	umorna žena	umorno dijete
dobar brat	dobra kći	dobro jutro
Sin je umoran.	Žena je umorna.	Dijete je umorno.
Brat je dobar.	Kći je dobra.	Jutro je lijepo.

4. The conjunction *i* (and)

The conjunction *i* may mean (I) *and* and (II) *also, too* e.g.

(I) Imamo sina i kćer. We have a son and a daughter.
    Brat i sestra su   Brother and sister are tired.
    umorni.
(II) Imam i sina.   I have a son too.
     Ali imam i kćer.   But I have also a daughter.
                         But I have a daughter too.

5. The consonant *dž*

The consonant *dž* (džem) is a combination of the letters and sound *d* and *ž* and is pronounced like the *j* in English words *John, jug, jam* or *job*. The tip of the tongue should be pressed against the upper teeth.

Exercises:

džem	(jam)	bridž	(bridge)
džep	(pocket)	srdžba	(anger)
udžbenik	(text book)	džungla	(jungle)

Translate the following sentences.
(I)
It is very nice here. We have a beautiful room. The beautiful room has a balcony. I have a sister and Jane has a brother. I have a brother too. A nice breakfast is ready. You have tea or coffee for breakfast. They have a daughter Jane. And have you a daughter? No, I have not. I have a brother and a sister. Have you (thou) a book? Yes, I have a book.

(II)
She is still a small child. Edward and John are tired. Are they tired? Yes, they are tired. Jane is not tired. She is hungry. The child is hungry. Is the child hungry? Yes, it is hungry. The tired child is hungry. I am not hungry. Are you (thou) hungry? No, I am not hungry. Are you hungry? No, we are not hungry. We are tired.

Translation from Lesson 4:
(I)
I am a pupil. Am I a pupil? Yes, I am a pupil. You are a pupil. Are you a student? No, I am not. She is a pupil. Is she a pupil? Yes, she is a pupil. He is my brother. Is he my brother? Yes, he is my brother. We are tired. You are also tired. Are you tired? No, we are not tired. John and Edward are tired. Are they tired? Yes, they are tired. Jane is not tired. Is she tired? No, she is not tired. Stjepan and Ivan are not tired. It is late. Good night.

41

6. vježba (Šésta vježba)

DÒRUČAK

Àna: Òvo je blagovaònica hotèla »Esplanáde–Interconti-
nèntal«.

Mary: Blagovaònica je lijépa, ùdobna i svijétla. Ja vòlim
svjétlost.

Joseph: A gdjè su John, Edward i Jane?

Mary: ˙Òni su u vȑtu. Razglédaju vȑt i véliku teràsu.

Jane: Màma, tàmo je krásan vȑt. Teràsa je pùna cvijéća.
I óvdje na stòlu je cvijéće.

Mary: Tó su cȑveni karànfili.

Edward: Jane, òvo je lijépa slȉka. Tó je slȉka jèlena.

Stjèpan: Dòručak je gòtov. Izvòlite sjèsti.

Joseph: Hvála vam.

Kònobar: Za dòručak ȉma bijéla kàva ili mlijéko ili čàj.

Jane: Edvarde, vòliš li bijélu kàvu?

Edward: Dà, vòlim bijélu kàvu s komàdićem krùha, màsla-
cem i džèmom. To je kòntinentalni dòručak.

Joseph: Edward, o čèmu razgòvarate?

Edward: Razgòvaramo o dòručku. Ja vòlim kòntinentalni
dòručak, ali i èngleski. Mòji prȉjatelji iz Njèmačke
vòle kòntinentalni dòručak.

Words and phrases

šest (f.s.)	– sixth
blagovaonica (f.)	– dining-room
lijep (m.),	– nice, beautiful
lijepa (f.),	
lijepo (n.)	
udoban (m.),	– comfortable, cosy
udobna (f.),	
udobno (n.)	
svijetao (m.),	– light, bright
svijetla (f.),	
svijetlo (n.)	
voljeti	– to like

ja volim	– I like
svjetlost (f.)	– light
gdje	– where
gdje su?	– where are?
vrt (m.)	– garden
razgledati	– to have a look around, inspect
velik (m.),	– big, large
velika (f.),	
veliko (n.)	
terasa (f.)	– terrace
mama (f.)	– mummy, mother
tamo	– there
krasan (m.),	– beautiful, handsome
krasna (f.),	
krasno (n.)	
pun (m.),	– full
puna (f.),	
puno (n.)	
cvijeće (pl.)	– flowers
terasa je puna	– the terrace is full of flowers
cvijeća	
ovdje	– here
stol (m.)	– table
na stolu	– on the table
crven (m.),	– red
crvena (f.),	
crveno (n.),	
crveni (m.pl.)	
karanfil (m.)	– carnation
ovo je	– this is
slika (f.)	– picture
to je	– it is
jelen (m.)	– deer, stag
sjesti	– to sit down, to take a seat
izvolite sjesti	– please do sit down
bijeli (m.),	– white
bijela (f.),	
bijelo (n.)	
mlijeko (n.)	– milk
ili	– or
čaj (m.)	– tea
s, sa	– with
komadić (m.)	– small piece
to je	– this is
kontinentalni (m.),	
kontinentalna (f.),	

kontinentalno (n.)	– continental
o	– about
razgovarati	– to talk
o čemu	– what are you talking about?
razgovarate?	
o doručku	– about breakfast; note that there is no *a* between *č* and *k*
engleski (m.), engleska (f.), englesko (n.)	– English
moji (m.pl.)	– my
iz	– from
Njemačka	– Germany
iz Njemačke	– from Germany

Conversational expressions

izvolite sjesti	– take a seat, please
o čemu razgovarate?	– what are you talking about?

Grammatical explanation

1. Declension of masculine nouns

Nouns in Croatian have seven cases in both singular and plural. They are as follows: Nominative, Genitive, Dative, Accusative, Vocative, Prepositional or Locative, Instrumental.
Nouns may be classified as *hard* or *soft* according to the last consonant of the stem. The noun is soft if the last consonant of the stem is soft. The soft consonants are: *c, ć, č, š, đ, dž, lj, nj, j*. All other consonants are hard.

Singular	
Inanimate (hard)	Animate (hard)
N. karanfil	N. jelen
G. karanfil-a	G. jelen-a
D. karanfil-u	D. jelen-u
A. karanfil	A. jelen-a
V. karanfil-e	P. jelen-u
P. karanfil-u	V. jelen-e
I. karanfil-om	I. jelen-om

Inanimate (soft)	Animate (soft)
N. komadić	N. prijatelj
G. komadić-a	G. prijatelj-a
D. komadić-u	D. prijatelj-u
A. komadić	A. prijatelj-a
V. komadić-u	V. prijatelj-u
P. komadić-u	P. prijatelj-u
I. komadić-em	I. prijatelj-em

In the masculine singular the Accusative is as the Nominative if the noun is inanimate but as the Genitive if the noun is animate.

In the masculine singular the Vocative ends in -e if the stem ends in a hard consonant and in -u if the stem ends in a soft consonant.

In the masculine singular the Instrumental ends in -om if the stem ends in a hard consonant and in -em if the stem ends in a soft consonant.

P l u r a l

Inanimate	Animate
N. karanfil-i	N. jelen-i
G. karanfil-a	G. jelen-a
D. karanfil-ima	D. jelen-ima
A. karanfil-e	A. jelen-e
V. karanfil-i	V. jelen-i
P. karanfil-ima	P. jelen-ima
I. karanfil-ima	I. jelen-ima
Inanimate	**Animate**
N. komadić-i	N. prijatelj-i
G. komadić-a	G. prijatelj-a
D. komadić-ima	D. prijatelj-ima
A. komadić-e	A. prijatelj-e
V. komadić-i	V. prijatelj-i
P. komadić-ima	P. prijatelj-ima
I. komadić-ima	I. prijatelj-ima

The Genitive plural ending -a is always pronounced as a long vowel, thus distinguishing it from the -a ending of the Genitive singular.

2. The noun *cvijeće* (flowers)

The noun *cvijeće* is a collective noun. It is used only in the singular e.g.

Cvijeće je lijepo.	The flowers are beautiful.
Cvijeće je na stolu.	The flowers are on the table.

3. The Present Tense of the verb *voljeti* (to like)

voljeti – the infinitive
-ti – the ending of the infinitive
vol- – the Present Tense base

Affirmative

Singular		Singular	
(ja)	volim	I	like
(ti)	voliš	you	like
(on)	voli	he	likes
(ona)	voli	she	likes
(ono)	voli	it	likes
Plural		**Plural**	
(mi)	volimo	we	like
(vi)	volite	you	like
(oni)	vole	they	like

Interrogative

Singular		Singular	
volim li	(ja)?	do I	like?
voliš li	(ti)?	do you	like?
voli li	(on)?	does he	like?
voli li	(ona)?	does she	like?
voli li	(ono)?	does it	like?

46

	Plural			Plural	
volimo li	(mi)?		do we		like?
volite li	(vi)?		do you		like?
vole li	(oni)?		do they		like?

Negative

	Singular		Singular	
(ja)	ne volim	I do not		like
(ti)	ne voliš	you do not		like
(on)	ne voli	he does not		like
(ona)	ne voli	she does not		like
(ono)	ne voli	it does not		like
	Plural		Plural	
(mi)	ne volimo	we do not		like
(vi)	ne volite	you do not		like
(oni)	ne vole	they do not		like

47

4. Adjectives

crven (masculine singular) – red
crveni (masculine plural) – red
Crveni karanfil je lijep.
Crveni karanfili su lijepi.
The red carnation is beautiful.
Red carnations are beautiful.

5. Pronouns

moj (masculine singular) – my
moji (masuline plural) – my
Moj je prijatelj iz Njemačke.
Moji su prijatelji iz Njemačke.
My friend is from Germany.
My friends are from Germany.

6. The consonant *nj*

The consonant *nj* is a palatalized or soft *n*. It is pronounced like the *ne* in the English word *news*. To pronounce this sound, the student should prepare his organs of speech for the pronunciation of the y in *year* and then pronunce *n;* or, he should press the front part of the tongue against the teeth ridge (the upper gum ridge) and then pronounce *n;* the result will be the sound *nj*.

Exercises:

Njemačka	(Germany)	trešnja	(cherry)
njegov	(his)	njihov	(their)
nošnja	(costume)	konj	(horse)

Exercises

Translation from Lesson 5:
(I)
Ovdje je vrlo lijepo. Imamo lijepu sobu. Lijepa soba ima balkon. Ja imam sestru, a Jane ima brata. I ja imam brata. Dobar doručak je gotov. Za doručak imate čaj ili kavu. Oni imaju kćer Jane. A imate li vi kćer? Ne, nemam. Ja imam brata i sestru. Imaš li knjigu? Da, ja imam knjigu.

(II)
Ona je još malo dijete. Edward i John su umorni. Jesu li oni umorni? Da, oni su umorni. Jane nije umorna. Ona je gladna. Dijete je gladno. Je li dijete gladno? Da, ono je gladno. Umorno dijete je gladno. Ja nisam gladan. Jesi li ti gladan? Ne, ja nisam gladan. Jeste li vi gladni? Ne, mi nismo gladni. Mi smo umorni.

7. vježba (Sédma vježba)

NA PÚTU DO „MÀTICE"

Mary: Kàko je vàni lijépo i sùnčano! Kàko je òvdje súnce tòplo. Vòlim súnce i toplìnu. I mój múž vòli súnce i toplìnu.

Joseph: Grád Zágreb vȑlo je čȉst. Nèki gràdovi nísu tàko čȉsti. Lòndon, na prìmjer.

Stjèpan: Zàto je to nàš bijéli Zágreb.

John: Gospódine Kòvačiću, kàkav je òvo spòmenik?

Stjèpan: To je spòmenik králja Tòmislava. Králj Tòmislav prvi je hrvatski králj. Nasùprot spòmeniku je kòlodvor. Nèdaleko od kòlodvora je pòšta. To je nòva zgràda.

Edward: Tàta! Plávi tràmvaj!

Àna: To je nàš zágrebački tràmvaj. Pláva bòja bòja je Zágreba.

Jane: Tàta! Gòspođa s máčkom! A tkò je ònaj stárac sa štápom na plòčniku?

Joseph: To je stári gospòdin, a ne stárac. Mnogi stári ljùdi ȉmaju štáp. Gòspođa s bijélim máčkom je Èngleskinja. Stári gòspodin je Ènglez. Oni razgováraju na èngleskom.

49

Words and phrases

sedma (f.)	– seventh
put (m.)	– way
na putu	– on the way
do	– to
Na putu do *Matice*	– on the way to »Matica«; »Matice« is the Genitive of »Matica« (f.); »Matica« is the shortened name of the association »Matica iseljenika Hrvatske« (The Association of emigrants from Croatia)
kako	– how
vani	– outside
lijepo	– nice

sunčano	– sunny
sunce	– sun
toplo	– warm
volim	– I like
toplina	– warmth
muž (m.)	– husband
grad (m.)	– town
čist (m.), čista (f.), čisto (n.)	– clean
neki	– some
tako	– so
na primjer	– for example, for instance
zato	– therefore
gospodin (m.)	– mister, sir (in address); gentleman
kakav	– what kind (sort) of
spomenik (m.)	– monument
kakav je ovo spomenik?	– what sort of a monument is this?
kralj (m.)	– king
Tomislav	– Tomislav, the name of the first Croatian king
prvi (m.), prva (f.), prvo (n.)	– first
hrvatski (m.), hrvatska (f.), hrvatsko (n.)	– Croatian
nasuprot	– opposite
kolodvor (m.)	– railway-station
nedaleko od	– not far off (away) from
pošta (f.)	– post-office
nov (m.), nova (f.), novo (n)	– new
zgrada (f.)	– building
tata (m.)	– daddy, father
plav (m.), plava (f.), plavo (n.)	– blue; *plavi* is the definite form of *plav*
tramvaj (m.)	– tram, street-car
zagrebački (m.), zagrebačka (f.), zagrebačko (n.)	– Zagreb
zagrebački tramvaj	– Zagreb tram
boja (f.)	– colour
gospođa (f.)	– lady
mačak (m.)	– male cat, tom-cat
tko	– who

50

onaj	– that
starac (m.)	– old man
s, sa	– with
štap (m.)	– stick, walking-stick
pločnik (m.)	– pavement
star (m.), stara (f.), staro (n.)	– old; *stari* is the definite form of *star*
ne	– not
ljudi (pl.)	– people; *ljudi* is the irregular plural of *čovjek* (man)
Engleskinja (f.)	– Englishwoman, English lady
Englez	– Englishman
na engleskom	– in English
oni razgovaraju na engleskom	– they talk in English
vjerojatno	– probably

Conversational expressions

kakav je ovo spomenik	– what sort of a monument is this?
oni razgovaraju na engleskom	– they talk in English

Grammatical explanation

1. Plural of monosyllabic masculine nouns

Most monosyllabic masculine nouns form their plural by inserting the infix *-ov* or *-ev* between the noun and the plural ending *-i*. The infix *-ov* is added to hard stems and the infix *-ev* to soft stems (i.e. to stems ending in one of the following consonants: *c, ć, č, š, d, dž, lj, nj, j*). Such nouns are declined regularly in the singular. Examples: grad (town), muž (husband), stol (table), štap (stick).

Singular

Hard	Soft
N. grad	N. muž
G. grad-a	G. muž-a
D. grad-u	D. muž-u

A. grad	A. muž-a
V. grad-e	V. muž-u
P. grad-u	P. muž-u
I. grad-om	I. muž-em

Plural

Hard	Soft
N. grad-ov-i	N. muž-ev-i
G. grad-ov-a	G. muž-ev-a
D. grad-ov-ima	D. muž-ev-ima
A. grad-ov-e	A. muž-ev-e
V. grad-ov-i	V. muž-ev-i
P. grad-ov-ima	P. muž-ev-ima
I. grad-ov-ima	I. muž-ev-ima

2. Mobile *a*

There are many words in Croatian which have the vowel *a* between the last two consonants, e.g.: starac, mačak. The vowel is inserted between the last two consonants so that such words can be pronounced easily. As this *a* appears only in some forms of the same word, it is called *mobile a*. It often occurs in the Nominative singular and the Genitive plural of some masculine nouns.

Singular	Plural
N. starac	N. starc-i
G. starc-a	G. starac-a
D. starc-u etc.	D. starc-ima etc.

8. vjèžba (Òsma vjèžba)

HR̀VATSKA MÀTICA ISELJENÍKA

Tájnik: Dòbro dòšli u »Hr̀vàtsku màticu iseljeníka«. Dòbro dòšli u Zàgreb.

Stjèpan: Òvo je gòspodin Joseph Śmith, a òvo je gòspođa Mary Smith.

Tájnik: Ja sam tàjnik »Hr̀vatske màtice iseljeníka«. Mòje je ȉme Pètar Márković. Izvòlite ući u mój ùred.

Joseph: Òvo je mój sin John, a òvo je Edward. Òvo je mòja kći Jane.

Tájnik: Izvòlite sjèsti.

Mary: Ȉmate zàista lijépu zgràdu. U zgràdi je pòsvuda cvijéće.

Tájnik: Tó je nàša nòva zgràda. Kraj zgràde je nòva kòncertna dvòrana.

John: Zágreb je vélik mùzički cèntar. Dvòrana izgleda zanimljivo.

Tájnik: Žèlite li likéra, vèrmuta, ràkije? Òvo je pòznati lȉker »Maraschíno«. Ràkija je hr̀vatsko nàcionalno pȉće. Òvo je dòmaća ràkija, šljȉvovica. Izvòlite i cr̀nu kávu.

Mary: Jè li tó tùrska kàva?

Tájnik: Da, tó je tùrska kàva. A sàda: žívjeli!

Svȉ: Žívjeli!

Tájnik: I jòš jèdnom: dòbro dòšli u »Hr̀vatsku màticu iseljeníka«! Dòbro dòšli u Zágreb!

53

Words and phrases

osma (f.)	– eighth
matica (f.)	– queen bee, mother bee, hive, bee-hive – this is the literal translation of the word *matica;* in the name »Hrvatska matica iseljeníka« the word *matica* iz used as a metaphor and means: centre, core, pith
iseljenik (m.)	– emigrant
Hrvatska (f.)	– Croatia
hrvatski, a, o	– Croatian

Hrvatska matica iseljenika	– Croatian Heritage Foundation
tajnik (m.)	– secretary
gospodin (m.)	– mister; sir (in address)
gospodin Joseph Smith	– Mr. Joseph Smith
gospođa (f.)	– lady; madam (in address)
gospođa Mary Smith	– Mrs. Mary Smith
ime (n.)	– name
ući	– to come in
izvolite ući	– please come in; will you please come in
u	– in
ured (m.)	– office
izvolite ući u moj ured	– will you please come into my office
posvuda	– everywhere, all over
naš (m.), naša (f.), naše (n.)	– our
pokraj	– beside, near
koncertni (m.), koncertna (f.), koncertno (n.)	– concert
dvorana (f.)	– hall
koncertna dvorana	– concert hall
muzički (m.), muzička (f.), muzičko (n.)	– musical
centar (m.)	– centre
izgledati	– to look
zanimljiv (m.), zanimljiva (f.), zanimljivo (n.)	– interesting
želite li likera?	– would you like a liqueur?
liker (m.)	– liqueur
vermut (m.)	– vermouth
rakija (f.)	– brandy
poznat (m.), poznata (f.), poznato (n.)	– well-known
nacionalan (m.), nacionalna (f.), nacionalno (n.)	– national
piće (n.)	– drink
domaći (m.), domaća (f.), domaće (n.)	– home-made

54

šljivovica (f.)	– plum-brandy
izvolite i crnu kavu	– please have some black coffee too
je li to?	– is this?
turski (m.), turska (f.), tursko (n.)	– Turkish
kava (f.)	– coffee
sada	– now
živjeli	– cheers
svi	– all
još jednom	– once more

Conversational expressions

izvolite ući	– please come in; will you please come in
želite li likera, vermuta, rakije?	– would you like a liqueur, a vermouth, a brandy?
je li to turska kava?	– is this Turkish coffee?
još jednom	– once more

Grammatical explanation

1. Declension of feminine nouns

Most feminine nouns end in -a. In this declension there is no distinction between hard and soft stems nor between animate and inanimate nouns. Examples: žena (woman), gospođa (lady), dvorana (hall), rakija (brandy), kava (coffee).

Singular	Plural
N. žena	N. žen-e
G. žen-e	G. žen-a
D. žen-i	D. žen-ama
A. žen-u	A. žen-e
V. žen-o	V. žen-e
P. žen-i	P. žen-ama
I. žen-om	I. žen-ama

2. Neuter nouns

Neuter nouns end in *-o* or *-e* e.g.
  jutro (morning), mlijeko (milk), dijete (child),
  ime (name), piće (drink)

3. The infinitive

The endings of the infinitive in Croatian are *-ti* or *-ći*.
The infinitive of most verbs ends in *-ti*.
The infinitives of the verbs we have learned so far run as follows:
bi-*ti* (to be), u-*ći* (to come in), ima-*ti* (to have), volje-*ti* (to like),
razgleda-*ti* (to have a look around), sjes-*ti* (to sit down), razgova-
ra-*ti* (to talk), izgleda-*ti* (to look).

Exercises

Translate into Croatian:

(I)
1. Am I a secretary?
2. Are you (thou) a student?
3. Is he a king?
4. Is she an Englishwoman?
5. Is this a railway-station?
6. Are we animals?
7. Are you pupils?
8. Are they emigrants?

(II)
1. I have a son and daughter.
2. Have you (thou) a child?
3. The room has a terrace.
4. We do not have a secretary.
5. Have you a monument?
6. Have they a king?

(III)
1. We have brandy, liqueur, and vermouth.
2. I have a brother and sister.
3. He has a sister too.
4. But I have a brother and sister.

(IV)
1. The red carnation is beautiful.
2. Red carnations are beautiful.
3. Sister is tired.
4. The tired sister is in the garden.
5. The child is good.
6. The good child is in the garden.

Put into the plural:
(I)
1. Karanfil je lijep.
2. Voliš li prijatelja?
3. Imam komadić kruha.
4. Vrt je pun karanfila.
5. Moj je muž na putu.
6. Dijete razgleda vrt i terasu.
7. Ovo je naš stol.
8. Moj prijatelj iz Engleske voli kontinentalni doručak.

9. vježba (Dèveta vježba)

RÀZGOVOR U „MÀTICI"

Mary: Vrijéme je óvdje lijépo. Je li vrijéme u Hŕvatskoj ùvijek lijépo?

Stjèpan: U Zágrebu vrijéme nìje ùvijek lijépo. Sàda je óvdje sùnčano: kàtkada je òblačno, i kišòvito. Zágreb ìma kòntinentalnu klímu. Ali na Jàdranu je vrijéme gòtovo ùvijek sùnčano.

Mary: Súnce je pràva ràdost. Djèca vòle móre i súnce. Mi svì ùskoro òdlazimo na móre.

Joseph: Tàmo idemo pòsjetiti rođake. A žèlimo vìdjeti i čìtavu hŕvatsku òbalu: Ìstru, Hŕvatsko primorje i Dàlmaciju.

Tájnik: Nàša je òbala glasòvita po ljepòti. Duž òbale sàda ìmamo cèstu. To je nòva cèsta: Jàdranska magistrála.

Mary: Nàši ròditelji gáje vèliku ljúbav prèma dòmovini. Òni čèsto prìčaju o ljepòtama Hŕvatske. A tùristi gòvore o Zàdru, Trògiru, Splìtu, Dùbrovniku.

Joseph: Zàto žèlimo da mì, kao i nàši sìnovi i kćèri, mnògo naùčimo o Hŕvatskoj.

John: Mí ùz to žèlimo dòbro naùčiti hŕvatski jèzik.

Tájnik: Ví vèć dòsta dòbro gòvorite hŕvatski. Ìmam dár zà vas. Tó je nàš jèzični tèčaj: Croatian Through Conversation.

Words and phrases

deveta (f.)	– ninth
razgovor (m.)	– talk, conversation
vrijeme (n.)	– weather
uvijek	– always
sada	– now
ali	– but
katkada	– sometimes
oblačno	– cloudy
kišovito	– rainy
klima (f.)	– climate

Jadran (m.)	– the Adriatic
gotovo	– almost
prav (m.),	– real
prava (f.),	
pravo (n.)	
radost (f.)	– happiness, joy
djeca (pl.)	– children
more (n.)	– sea
mi	– we
uskoro	– soon, in a short time
odlaziti (odlazim)	– to depart, to go away
na more	– to the sea-side
idemo	– we are going
posjetiti	– to visit
idemo posjetiti	– we are going to visit
rođak (m.)	– relative
željeti	– to want
želimo	– we want
vidjeti	– to see
želimo vidjeti	– we want to see
čitav (m.),	– whole, entire, complete
čitava (f.),	
čitavo (n.)	
obala (f.)	– coast, shore
Istra (f.)	– Istra, the peninsula on the Adriatic
Hrvatsko primorje (n.)	– Croatian Littoral, the northern part of the Croatian Coast
Dalmacija (f.)	– Dalmatia, the southern part of the Croatian coast
glasovit (m.),	– famous
glasovita (f.),	
glasovito (n.)	
po	– for
glasovita po	– famous for
naša je obala glasovita po ljepoti	– our coast is famous for (its) beauty
duž	– along
uzduž obale	– along the coast
cesta (f.)	– road
nov (m.), nova (f.), novo (n.)	– new
jadranski (m.),	– Adriatic
jadranska (f.),	
jadransko (n.)	

Jadranska magistrala (f.)	– main Adriatic road
roditelj	– parent
gajiti	– foster, nourish
veliki (m.), velika (f.), veliko (n.)	– great, big
ljubav (f.)	– love
prema	– towards
domovina (f.)	– homeland, native country, mother country, fatherland
prema domovini	– towards the homeland
često	– often
pričati	– to tell, to talk
ljepota (f.)	– beauty
turist (m.)	– tourist
govoriti	– to speak
govoriti o	– to speak about
Zadar (m.)	– Zadar, a town on the Croatian coast; note that there is a mobile -*a* in the Genitive singular (Zadra)
Trogir (m.)	– Trogir, a town on the Croatian coast
Split (m.)	– Split, a town on the Croatian coast
Dubrovnik (m.)	– Dubrovnik, a town on the Croatian coast
zato	– therefore
da	– that
kao i	– and
sin (m.)	– son
kćeri (pl.)	– daughters: *kćeri* is the plural of the noun *kći* (daughter)
mnogo	– a great deal of
naučiti	– to learn
uz	– besides, in addition
uz to	– besides this, in addition to this
dobro	– well
jezik (m.)	– language
već	– already
dosta	– fairly, rather
dosta dobro	– fairly well
dar (m.)	– present, gift
za	– for

za vas	– for you

jezični (m.),
   jezična (f.),
   jezično (n.)
	– language

tečaj (m.)	– course

Conversational expressions

je li vrijeme u Hrvatskoj uvijek lijepo?	– is the weather in Croatia always fine?
naša je obala glaso– vita po ljepoti	– our coast is famous for (its) beauty
naši roditelji gaje veliku ljubav pre– ma domovini	– our parents have taught us to love (their) homeland; our parents foster great love towards (their) homeland (literal trans- lation)

61

| želimo naučiti
hrvatski jezik | – we want to learn the Croatian
language |
| vi već dosta dobro
govorite hrvatski | – you speak Croatian fairly well
already |

Grammatical explanation

1. The Present Tense of the verb ići (to go)

ići – the infinitive
id- – the Present Tense base

Affirmative

Singular	Singular
(ja) idem	I go
(ti) ideš	you go
(on) ide	he goes
(ona) ide	she goes
(ono) ide	it goes
Plural	Plural
(mi) idemo	we go
(vi) idete	you go
(oni) idu	they go

Interrogative

Singular	Singular
idem li (ja)?	do I go?
ideš li (ti)?	do you go?
ide li (on)?	does he go?
ide li (ona)?	does she go?
ide li (ono)?	does it go?
Plural	Plural
idemo li (mi)?	do we go?
idete li (vi)?	do you go?
idu li (oni)?	do they go?

Negative

Singular	Singular
(ja) ne idem	I do not go
(ti) ne ideš	you do not go
(on) ne ide	he does not go
(ona) ne ide	she does not go
(ono) ne ide	it does not go
Plural	Plural
(mi) ne idemo	we do not go
(vi) ne idete	you do not go
(oni) ne idu	they do not go

2. Feminine nouns

Some feminine nouns end in -*a* e.g.
   vježba (lesson), žena (woman), sestra (sister).
Some feminine nouns end in a consonant e.g.
   radost (happiness), ljubav (love).

Exercises

Translation from Lesson 8:
(I)
1. Jesam li ja tajnik?
2. Jesi li ti student?
3. Je li on kralj?
4. Je li ona Engleskinja?
5. Je li ovo kolodvor?
6. Jesmo li životinje?
7. Jeste li vi učenici?
8. Jesu li oni iseljenici?

(II)
1. Imam sina i kćer.
2. Imaš li dijete?
3. Soba ima terasu.
4. Mi nemamo tajnika.
5. Imate li vi spomenik?
6. Imaju li oni kralja?

(III)
1. Imamo rakije, likera i vermuta.
2. Imam brata i sestru.
3. I on ima sestru.
4. Ali ja imam i brata i sestru.

(IV)
1. Crveni karanfil je lijep.
2. Crveni karanfili su lijepi.
3. Sestra je umorna.
4. Umorna je sestra u vrtu.
5. Dijete je dobro.
6. Dobro je dijete u vrtu.

The plural of sentences from Lesson 8:
(I)
1. Karanfili su lijepi.
2. Volite li prijatelje?
3. Imamo komadiće kruha.
4. Vrtovi su puni karanfila.
5. Naši su muževi na putu.
6. Djeca razgledaju vrtove i terase.
7. Ovo su naši stolovi.
8. Naši prijatelji iz Engleske vole kontinentalni doručak.

10. vjȅžba (Dȅseta vjȅžba)

U AUTOMÒBILU

Edward: Ìdemo li àutobusom, tràmvajem ili vlákom?
Stjèpan: Ìdemo automòbilom.
Jane: Zàšto nè idemo pjȅšice ili tràmvajem?
Joseph: Zàto što nàši domàćini žìve u prèdgrađu Zágreba, a sàda je vèć kàsno.
Stjèpan: Izvòlite ući u mój àuto. A óndje je mój drúg Ìvan. Ònaj plávi àuto je njègov.
Jane: Edwarde! Jào! Štȍ r̀ádiš? Mòja rúka! Mòja nòga!
Edward: Tvòja rúka i nòga sàda su u rédu. Glè, čòvjek i djèvojka! Ìmaju fotògrafski apàrat.
John: Čòvjek ȉzgleda kào Amerikánac ili Ènglez. Tùristi čèsto ȉmaju fotògrafske aparáte.
Jane: Gospòdine Kòvačiću, kàkvo je òvo dr̀vo?
Stjèpan: Tó je òrah.
Jane: Hvála vam.
Edward: Jane, vȉdiš li žúto pòlje? Žúta pòlja vr̀lo su lijépa i slikòvita.
Jane: Vȉdim. I u daljȉni vȉdim sèlo. A ȉza sèla vèlike su gòre.
John: Vȉdite li tàmo, nàdesno, čòvjeka i žènu? Òni ȉmaju národnu nóšnju.
Stjèpan: Tó su sèljak i sèljanka iz òkolice Zágreba. A sàd smo vèć kòd kuće.

65

Words and phrases

deseta (f.)	– tenth
automobil (m.)	– car, automobile
u automobilu	– in the car
autobus (m.)	– bus
autobusom	– by bus
tramvajem	– by tram
vlak (m.)	– train
vlakom	– by train
automobilom	– by car

zašto	– why
zato što	– because
pješice	– on foot
domaćin (m.)	– host
živjeti	– to live
naši domaćini žive	– our hosts live
predgrađe (n.)	– suburbs, outskirts
auto (m.)	– car, *auto* is the shortened form of *automobil*
izvolite ući u moj auto	– will you get into my car please
ondje	– there
drug (m.)	– friend, colleague
onaj (m.), ona (f.), ono (n.)	– that
njegov (m.), njegova (f.), njegovo (n.)	– his
jao	– alas, woe
raditi	– to work
što radiš?	– what are you (thou) doing?
moj (m.), moja (f.), moje (n.)	– my
ruka (f.)	– hand
noga (f.),	– leg
tvoj (m.), tvoja (f.), tvoje (n.)	– your
u redu	– all right
gle	– look
čovjek (m.)	– man
djevojka (f.)	– girl
fotografski aparat (m.)	– camera
izgledati	– to look like
kao	– like, as
Amerikanac (m.)	– an American
Englez (m.)	– an Englishman
često	– often
ovaj (m.), ova (f.), ovo (n.)	– this
drvo (n.)	– tree
kakvo je ovo drvo?	– what sort of a tree is this?
orah (m.)	– walnut-tree; walnut
žut (m.), žuta (f.), žuto (n.)	– yellow

polje (n.)	– field
slikovit (m.),	– picturesque
slikovita (f.),	
slikovito (n.)	
daljina (f.)	– distance
u daljini	– in the distance
selo (n.)	– village
iza	– behind, at the back
iza sela	– behind the village, at the back of the village
gora (f.)	– mountain
tamo	– there
nadesno	– on the right
narodni (m.),	– national
narodna (f.),	
narodno (n.)	
nošnja (f.)	– costume
narodna nošnja (f.)	– national costume
seljak (m.)	– peasant
seljanka (f.)	– peasant-woman
iz	– from
okolica (f.)	– neighbourhood, surroundings
iz okolice Zagreba	– from the neighbourhood of Zagreb
kod kuće	– at home

Conversational expressions

autobusom	– by bus
tramvajem	– by tram
vlakom	– by train
automobilom	– by car
pješice	– on foot
u predgrađu	– in a suburb
izvolite ući u moj auto	– will you get into my car please
što radiš	– what are you (thou) doing?
u redu	– all right
kakvo je ovo drvo?	– what sort of a tree is this?
u daljini	– in the distance
iza sela	– behind the village, at the back of the village

nadesno   – on the right
iz okolice Zagreba   – from the neighbourhood of Zagreb
kod kuće   – at home

Grammatical explanation

1. Declension of neuter nouns

Neuter nouns end in *-o* (jutro, mlijeko), or *-e* (sunce, more). The declension of neuter nouns is similar to that of masculine nouns; they only differ in the endings for the Nominative, Accusative and Vocative.

Singular

Hard	Soft
N. selo	N. polje
G. sel-a	G. polj-a
D. sel-u	D. polj-u
A. selo	A. polje
V. selo	V. polje
P. sel-u	P. polj-u
I. sel-om	I. polj-em

In the neuter singular the Instrumental ends in *-om* if the stem ends in a hard consonant and in *-em* if the stem ends in a soft consonant.

Plural

Hard	Soft
N. sel-a	N. polj-a
G. sel-a	G. polj-a
D. sel-ima	D. polj-ima
A. sel-a	A. polj-a
V. sel-a	V. polj-a
P. sel-ima	P. polj-ima
I. sel-ima	I. polj-ima

2. Adjectives

N. sing.:	lijep (m.), lijepa (f.),	lijepo (n.) - nice, fine
N. pl.:	lijepi (m.), lijepe (f.),	lijepa (n.) - nice, fine

Singular

Masculine	Feminine	Neuter
lijep čovjek	lijepa žena	lijepo dijete
Čovjek je lijep.	Žena je lijepa.	Dijete je lijepo.

Plural

Masculine	Feminine	Neuter
lijepi ljudi	lijepe žene	lijepa djeca
Ljudi su lijepi.	Žene su lijepe.	Djeca su lijepa.

3. Prepositions

The correct usage of the most commonly used prepositions is one of the greatest difficulties in learning a foreign language. Prepositions with their meanings, usage, and following case should be learned from the context. Today we are going to speak about the preposition *u*.

Preposition u (in, to, into)

Preposition *u* is most commonly used with the Accusative and Prepositional cases:

u with the Accusative:
U with the Accusative is used with verbs expressing movement when the construction of the sentence answers the question: *kamo?* E. g.: Idem u hotel.

Dobro došli u Zagreb.	Welcome to Zagreb.
Dobro došli u »Hrvatsku maticu iseljenika«.	Welcome to »Hrvatska matica iseljenika«.
Izvolite ući u moj ured.	Please come into my office.
Izvolite ući u moj auto.	Please get into may car.

u with the Prepositional:

U with the Prepositional is used when we want to denote the place in which the action expressed by the verb takes place. It is used when the construction of the sentence answers the question: *gdje?* E. g.: Ja sam u hotelu.

U hotelu »Esplanade-Intercontinental« je lijepo.	It is very nice in the hotel »Esplanade-Intercontinental«.
John i Edward još su u krevetu.	John and Edward are still in bed.
On je u vrtu.	He is in the garden.
U zgradi je posvuda cvijeće.	There are flowers everywhere in the building.
Razgovor je u »Matici« zanimljiv.	The talk in »Matica« is interesting.
U automobilu je lijepo.	It is very nice in the car.
Dobra žena živi u predgrađu.	The good woman lives in a suburb.
U daljini su sela.	Villages are in the distance.

Exercises

70

Translate into Croatian:

(I)
1. People work in the' fields.
2. Women talk about milk.
3. They live in the suburbs of Zagreb.
4. Children like the sun and the sea.
5. Brandy is our national drink.
6. Flowers on the table are very nice.
7. What are you doing in the tree?
8. Life in the village is nice.
9. The weather here is very nice.
10. We want to visit the Croatian Littoral.

(II)
1. The red balcony is picturesque.
2. Red balconies are picturesque.
3. The concert-hall is very interesting.
4. Concert-halls are very interesting.
5. The yellow field is large.
6. Yellow fields are large.

(III)
1. John, Edward and Jane are in the garden.
2. Please come into my office.

11. vježba (Jedànaesta vježba)

ÒBJED

Svȉ: Dòbar dán.

Àna: Dòbar dán. Dòbro dòšli ù moj dóm. Òvo je mòja svèkrva Dànica.

Dànica: Ja sam Dànica Kòvačić. Drágo mi je što su óvdje nàši drági iseljeníci.

Joseph: I nàma je drágo što smo òpet u dòmovini. Òvo su mòji sìnovi John i Edward, a òvo je mòja kćí Jane.

Dànica: Tó su máli svjètski pútnici.

Stjèpan: Òvo su mòji sìnovi Jòsip, Ìvan i Àntun, a òvo je mòja kćȋ Màrija.

Mary: Tó su krásna djèca. Vȉdim, ìmate vȓt pùn rúža. Kàko je lijép!

Dànica: Mòja snàha ùzgaja cvijéće. To je njézin. hòbi.

Edward: Òno je òrah. Na stáblu su vèć mládi òrasi.

Àna: Izvòlite ù kuću. Stól je pròstrt.

Edward: Jane! Ìvane! Àntune!

Mary: Štò je Edwarde? Blijéd si kao kȑpa.

Edward: Májko! Bòrba pijètlova! Tàmo, na dvòrištu! Vȉdiš li kȓv na pijétlovoj nòzi?

John: Èno súsjede. Ìma štáp u rúci. Tó je kráj bòrbe.

Stjèpan: Pijétlovi, tó su pràvi ràtnici! A sàda ìdemo na òbjed. Žèno, štò ìma za òbjed?

Àna: Za òbjed ìma pileća júha, pòhani pìlići, mládi krùmpir, rizòto, salàta, kòlač i vòće.

Mary: Mój súprug vòli pòhane pìliće. Tó je òdlično jèlo.

Stjèpan: Dòbar ték. Žìvjeli nàši drági gòsti!

Svȉ: Dòbar ték.

Stjèpan: Izvòlite vína. Òvo je kùtjevački burgúndac, a òvo je dalmàtinski dȉngač.

Mary: Kólač je vrlo ùkusan.

Àna: Tó je savijača od trèšanja. A sàda dòlazi cŕna kàva.

71

jedanaesta (f.)	– eleventh
objed (m.)	– lunch
dobar (m.),	– good
dobra (f.),	
dobro (n.)	
dan	– day
dobar dan	– good day (literal translation)
dom (m.)	– home
svekrva (f.)	– mother-in-law
što	– that
drag (m.),	– dear, glad
draga (f.),	
drago (n.)	
i nama je drago	– we are glad too
opet	– again
mali	– little
svjetski (m.),	– world
svjetska (f.),	
svjetsko (n.)	
putnik (m.)	– traveller, voyager
svjetski putnik	– world traveller
krasan (m.),	– beautiful, nice
krasna (f.),	
krasno (n.)	
kako je lijep	– how nice it is
snaha (f.)	– daughter-in-law
uzgajati	– raise, grow
njezin (m.),	– her
njezina (f.),	
njezino (n.)	
hobi (m.)	– hobby
orah (m.)	– walnut
orahovo stablo (n.)	– walnut–tree
mlad (m.),	– young
mlada (f.),	
mlado (n.)	
kuća (f.)	– house
izvolite u kuću	– please come into the house
stol je prostrt	– the table is laid
blijed (m.),	– pale
blijeda (f.),	
blijedo (n.)	
kao	– like, as

krpa (f.)	– rag
blijed kao krpa	– pale as death
majka (f.)	– mother
borba (f.)	– fight
pijetao (m.)	– cock; the plural of the noun *pijetao* is *pijetlovi*
borba pijetlova	– a cock-fight
dvorište (n.)	– yard
krv (f.)	– blood
eno	– look, there, see, see there
susjeda (f.)	– female neighbour
kraj (m.)	– end
to je kraj borbe	– that's the end of the fight
prav (m.), prava (f.), pravo (n.)	– real
ratnik (m.)	– warrior
što ima za objed?	– what have we got for lunch?
pileći (m.), pileća (f.), pileće (n.)	– chicken
juha (f.)	– soup
pileća juha (f.)	– chicken soup
pohan (m.), pohana (f.), pohano (n.)	– fried
pilići (pl.)	– chicken
pohani pilići	– deep-fried spring-chicken
krumpir (m.)	– potato
rizoto (m.)	– rissoto
salata (f.)	– salad
kolač (m.)	– cake
voće (pl.)	– fruit
suprug (m.)	– husband
odličan (m.), odlična (f.), odlično (n.)	– excellent
jelo (n.)	– dish
dobar tek	– good appetite
vino (n.)	– wine
izvolite vina	– please have some wine
kutjevački (m.), kutjevačka (f.), kutjevačko (n.)	– from Kutjevo

73

kutjevački burgundac	– the name of a red or white wine
dalmatinski (m.), dalmatinska (f.), dalmatinsko (n.)	– Dalmatian, from Dalmatia
dalmatinski dingač	– the name of a red wine
ukusan (m.), ukusna (f.), ukusno (n.)	– tasty, tasteful
kolač je vrlo ukusan	– the cake is very tasty
savijača (f.)	– kind of pastry made of rolled out paste filled with fruit; strudel
trešnja (f.)	– cherry; *trešanja* is the Genitive plural of the noun *trešnja*
dolaziti	– to come

Conversational expressions

dobar dan	– good day
i nama je drago	– we are glad too
kako je lijep	– how nice it is
izvolite u kuću	– please come into the house
stol je prostrt	– the table is laid
što ima za objed?	– what have we got for lunch?
dobar tek	– good appetite
izvolite vina	– please have some wine
kolač je vrlo ukusan	– the cake is very tasty
blijed kao krpa	– pale like death

Grammatical explanation

1. Consonental changes

A. The change of *k, g, h* into *č, ž, š*

Consonants *k, g, h* change to *č, ž, š* in front of *-e*. This rule is not always valid.

Such changes occur in the Vocative singular of masculine nouns. Examples: čovjek (man), drug (collegue), duh (ghost).

N. sing.	čovjek	drug	duh
V. sing.	čovječ-e	druž-e	duš-e

Other examples: spomenik (spomeniče), iseljenik (iseljeniče), taj-
nik (tajniče), jezik (jeziče), seljak (seljače), put-
nik (putniče), ratnik (ratniče); suprug (supruže).

B. The change of *k, g, h* into *č, ž, š*, or *c, z, s*

Consonants *k, g, h*, change to *c, z, s*, in front of *-i*. Such changes
occur:

(I) throughout the plural declension of masculine nouns except
for the masculine Genitive and the Accusative. Examples:
ratnik (warrior), suprug (husband), orah (walnut).

Plural

N. ratnic-i	supruz-i	oras-i
G. ratnik-a	suprug-a	orah-a
D. ratnic-ima	supruz-ima	oras-ima
A. ratnik-e	suprug-e	orah-e
V. ratnic-i	supruz-i	oras-i
P. ratnic-ima	supruz-ima	oras-ima
I. ratnic-ima	supruz-ima	oras-ima

Other examples: spomenik (spomenici), iseljenik (iseljenici), taj-
nik (tajnici), jezik (jezici), seljak (seljaci), putnik
(putnici); drug (druzi); duh (dusi).

(II) in the Dative and Prepositional singular of most feminine
nouns. Examples: ruka (hand), noga (leg), snaha (sister-in-
law).

Nom.	sing.	ruka	noga	snaha
Dat.	sing.	ruc-i	noz-i	snas-i
Prep.	sing.	ruc-i	noz-i	snas-i

Other examples: djevojka (djevojci); majka (majci); supruga (su-
pruzi); juha (jusi).

2. Mobile a

Mobile *a* often appears in the Nominative singular and the Geni-
tive plural of some masculine nouns, e.g.: starac, starci, staraca.
It also occurs in some adjectives.

Examples: udoban, udobna, udobno; svijetao, svijetla, svijetlo; krasan, krasna, krasno; nacionalan, nacionalna, nacionalno; narodni, narodna, narodno; dobar, dòbra, dobro; odličan, odlična, odlično; ukusan, ukusna, ukusno.

Prepositions (continued)

Preposition *na* (on, for, in)

The preposition *na* is used with the Accusative and Prepositional cases:

na with the Accusative:

A sad idemo na objed	And now we are going to lunch.

na with the Prepositional:

Sve je na stolu.	Everything is on the table.
Na putu do »Matice« vrlo je zanimljivo	It is very interesting on the way to »Matica« (literal translation).
A tko je onaj starac sa štapom na pločniku?	And who is that old man with the walking stick on the pavement?
Oni razgovaraju na engleskom.	They talk in English.
Vrijeme na Jadranu je sunčano	On the Adriatic the weather is sunny.
Kuće su nadesno	Houses are on the right.
Na stablu su orasi.	Walnuts are in the tree.
Pijetao je na dvorištu.	The cock is in the yard.
Vidiš li krv na pijetlovoj nozi?	Do you see blood on the cock's leg?

76

Exercises

Translation from Lesson 10:
(I)
1. Ljudi rade na poljima.
2. Žene pričaju o mlijeku.
3. Oni žive u predgrađu Zagreba.
4. Djeca vole sunce i more.
5. Rakija je naše narodno piće.
6. Cvijeće na stolu izgleda vrlo lijepo.
7. Što radiš na drvu?

8. Život na selu je lijep.
9. Ovdje imamo lijepo vrijeme.
10. Želimo posjetiti Hrvatsko primorje.

(II)
1. Crveni je balkon slikovit.
2. Crveni su balkoni slikoviti.
3. Koncertna je dvorana zanimljiva.
4. Koncertne su dvorane zanimljive.
5. Žuto je polje veliko.
6. Žuta su polja velika.

(III)
1. John, Edward i Jane su u vrtu.
2. Izvolite ući u moj ured.

12. vjèžba (Dvánaesta vjèžba)

U PRODAVAÒNICI GRAMÒFONSKIH PLÓČA

Jòsip: Ìdemo kupòvati gramòfonske plòče.

Stjèpan: Ìdete li àutom?

Jòsip: Dà, dòsta je kàsno.

Svì: Do viđenja.

Jòsip: Òvo je Tŕg bána Jélačića.

Edward: Jè li to vàš glàvni tŕg?

Jòsip: Dà, tó je nàš glàvni tŕg; màlo dàlje je prodava-
ònica gramòfonskih plòča.

Jòsip: Dòbar vèčer. Ìmate li hr̀vatske národne pjè-
sme?

Prodavàčica: Ìmamo. Òvo su plòče s pjèsmama iz Slàvo-
nije i Dàlmacije. Ìmamo i plòču »Hr̀vatsko zà-
gorje u pjèsmi«. Vòlite li šlágere? Òvo je plòča
šlágera »Zàgreb 65«.

Jane: Za mòje prijatèljice kùpujem pjèsme i plésove
iz Slàvonije, a za djèda dalmàtinske pjèsme.
Mój je djèd iz Dàlmacije, a mòja báka iz òko-
lice Sàmobora. Ìmate li sàmoborske pjèsme?

Prodavàčica: Ìmamo. A òdakle si tí, djevòjčice?

Jane: Já sam iz Amèrike.

Prodavàčica: Tí si ónda pràvi svjétski pútnik.

Jane: Dà, ja čésto pùtujem. A ùskoro pùtujem od
Zágreba do Splìta.

Kùpac: Tkò su tí stránci?

Jòsip: Tó su n̄aši iseljeníci. Nj̀ihovi su ròditelji Hrvá◆
kào i nàši.

Edward: Mòji prìjatelji vòle šlágere. Mòlim plòču »Zà-
greb 65«.

John: Kolìko tó svè kòšta, mòlim?

Prodavàčica: Izvòlite ràčun.

John: Plòče su vŕlo jèftine. Hvála vam. Do viđénja.

Svì: Do viđénja.

Jòsip: Ìdemo nèšto pòpiti. Žédan sam, a ì vi ste sì-
gurno žédni. Štò pìjete?

John: Mi vòlimo limunádu s lèdom. Jáko je vrúće.

Ìvan: I já vòlim limunádu kàd je vrúće.

Jòsip: Nèmamo mnògo vrèmena. Ròditelji nas čèka-
ju.

Word and phrases

dvanaesta (f.)	– twelfth
prodavaonica (f.)	– shop
kupovati	– to buy
gramofonski (m.), gramofonska (f.), gramofonsko (n.)	– gramophone
ploča (f.)	– record, gramophone record
dosta je kasno	– it is rather late
do viđenja	– so long
trg (m.)	– square
republika (f.)	– republic
Trg bana Jelačića	– Ban Jelačić's Square
je li to?	– is this?
vaš (m.), vaša (f.), vaše (n.)	– your
glavni (m.), glavna (f.), glavno (n.)	– main
malo	– little, a little
dalje	– further, further on
malo dalje	– a little further on
dobar večer	– good evening
pjesma (f.)	– song
ples (m.)	– dance
Slavonija (f.)	– Slavonia, the eastern part of Croatia
Hrvatsko zagorje	– Croatian Zagorje, part of northern Croatia
šlager (m.)	– pop-song
za	– for
prijateljica (f.)	– girl friend
djed (m.)	– grandfather
dalmatinski (m.), dalmatinska (f.), dalmatinsko (n.)	– Dalmatian
baka (f.)	– grandmother
Samobor	– a town near Zagreb
samoborski (m.), samoborska (f.), samoborsko (n.)	– Samobor (adjective), from Samobor
odakle	– where from
odakle si (ti)?	– where do you come from?
djevojčica (f.)	– little girl

onda	– then
često	– often
putovati	– to travel
uskoro	– soon
od	– from
do	– till, to
kupac (m.)	– buyer
tko	– who
stranac (m.)	– foreigner
njihov (m.), njihova (f.), njihovo (n.)	– their
Hrvat (m.)	– a Croat
kao i	– like
koliko	– how much
koštati	– to cost
koliko to sve košta?	– how much does all that cost, what is the price of all that?
račun (m.)	– bill
izvolite račun	– take the bill, please
jeftin (m.), jeftina (f.), jeftino (n.)	– cheap
nešto	– something
popiti	– to drínk (up)
idemo nešto popiti	– let's have something to drink; let's have a drink
žedan (m.), žedna (f.), žedno (n.)	– thirsty
žedan sam	– I am thirsty
piti	– to drink
što pijete?	– what do you drink?
limunada (f.)	– lemonade
led (m.)	– ice
vruće	– hot
jako je vruće	– it is very hot
kad	– when
kad je vruće	– when it is hot
mnogo	– much, a lot of
vrijeme (n.)	– time; *vremena* is the Genitive of the noun *vrijeme*
nemamo mnogo vremena	– we do not have much time

80

nas	– us
čekati	– to wait
roditelji nas čekaju	– our parents are waiting for us

Conversational expressions

dosta je kasno	– it is rather late
do viđenja	– so long
malo dalje	– a little further on
dobar večer	– good evening
odakle si	– where do you (thou) come from
koliko to sve košta?	– what is the price of all that?
izvolite račun	– take the bill, please
idemo nešto popiti	– let's have something to drink
žedan sam	– I am thirsty
što pijete?	– what do you drink?
jako je vruće	– it is very hot
nemamo mnogo vremena	– we do not have much time

1. The Present Tense of the verb *kupovati* (to buy)

kupova - ti – the infinitive
     - ti – the ending of the infinitive
kupu- – the Present Tense base

Grammatical explanation

Affirmative

Singular	Singular
(ja) kupujem	I buy
(ti) kupuješ	you buy
(on) kupuje	he buys
(ona) kupuje	she buys
(ono) kupuje	it buys
Plural	**Plural**
(mi) kupujemo	we buy
(vi) kupujete	you buy
(oni) kupuju	they buy

Interrogative

Singular	Singular
kupujem li (ja)?	do I buy?
kupuješ li (ti)?	do you buy?
kupuje li (on)?	does he buy?
kupuje li (ona)?	does she buy?
kupuje li (ono)?	does it buy?
Plural	**Plural**
kupujemo li (mi)?	do we buy?
kupujete li (vi)?	do you buy?
kupuju li (oni)?	do they buy?

Negative

Singular	Singular
(ja) ne kupujem	I do not buy
(ti) ne kupuješ	you do not buy
(on) ne kupuje	he does not buy
(ona) ne kupuje	she does not buy
(ono) ne kupuje	it does not buy
Plural	**Plural**
(mi) ne kupujemo	we do not buy
(vi) ne kupujete	you do not buy
(oni) ne kupuju	they do not buy

Sing.	moj (m.),	moja (f.),	moje (n.) - my
Pl.	moji (m.),	moje (f.),	moja (n.) - my

	Masculine	Feminine	Neuter
Sing.	moj sin	moja kći	moje dijete
Pl.	moji sinovi	moje kćeri	moja djeca
Sing.	Sin je moj.	Kći je moja.	Dijete je moje.
Pl.	Sinovi su moji.	Kćeri su moje.	Djeca su moja.

Other possesive pronouns that have occurred in the texts:
tvoj, a, e (your), njegov, a,o (his), njezin, a, o (her), naš, a, e (our), vaš, a, e (your), njihov, a, o (their).

3. Prepositions (continued)

Preposition o (about)

Preposition *o* is used with the Prepositional.

o with the prepositional.

Razgovaramo o doručku.	We are talking about breakfast.
Oni često pričaju o ljepotama Hrvatske.	They often tell us about the beauties of Croatia.
Turisti govore o Dubrovniku.	Tourists talk about Dubrovnik.
Želimo naučiti mnogo o Hrvatskoj.	We want to learn a lot about Croatia.

Exercises.

Translate into Croatian:
(I)
1. Are you (thou) buying this record?
2. Yes, I am buying this record.
3. Is she travelling from London to Zagreb?
4. Yes, she is travelling from London to Zagreb.
5. Does he drink wine?
6. No, he does not drink wine.
7. Are you travelling to Samobor?
8. Yes, we are travelling to Samobor.
9. Are they going to Dalmatia?
10. Yes, they are going to Dalmatia.

(II)
1. My friend is travelling from London to Zagreb.
2. Your sister is having a look around the garden.
3. His child does not like to drink milk.
4. Her daughter-in-law works in the garden.
5. Our village is large.

6. Our parents want to see the Croatian Coast.
7. Your sisters do not like lemonade.
8. Her pupils (girl pupils) are talking about the sea.
9. Our children are talking about the beauties of Croatia.
10. Their parents live in Samobor.
11. Their children are travelling to London.

(III)
1. This walking-stick is mine.
2. That rose is yours (thine).
3. That car is his.
4. This child is hers.
5. These cakes are ours.
6. Those houses are yours.
7. These children are theirs.

(IV)
1. I want to learn a lot about the town of Zagreb.
2. They are talking about Split.

13. vježba (Trínaesta vježba)

U BÁNCI

Jane:	Kolíko ljùdi čèka u rédu!
Joseph:	Kolíko?
Jane:	Jèdan, dvá, trí, čètiri, pét, šést, sèdam, òsam, dèvet, dèset. Dèset.
Joseph:	Tó nìje mnògo.
Jane:	Jè li téško mijénjati nòvac?
Joseph:	Nìje. Sàd smo mí na rédu. Dòbro jùtro. Mògu li promijéniti stó dòlara?
Činòvnik:	Dòbro jùtro. Mòžete. Jesu li to amèrički dòlari?
Joseph:	Dà, amèrički.
Činòvnik:	Vàše ìme?
Joseph:	Joseph Smith.
Činòvnik:	U rédu. Èvo pétsto dèset kúna.
Joseph:	Hvála vam. Do viđénja.
Jane:	Tàta, mògu li ja promijéniti nèkoliko dòlara? Žèlim nèšto kúpiti.
Joseph:	Mòžeš. Mi ćemo te óvdje čèkati.

85

Words and phrases

trinaesta (f.)	– thirteenth
banka (f.)	– bank
u banci	– in the bank
koliko	– how many, how much
čekati (čekam)	– to queue, to stand in a line
red (m.)	– queue
u redu	– in a queue, in a line
čekati u redu	– to wait in a queue, to stand in a line
jedan	– one
dva	– two
tri	– three

četiri	– four
pet	– five
šest	– six
sedam	– seven
osam	– eight
devet	– nine
deset	– ten
teško	– difficult
mijenjati (mijenjam)	– to change
novac (m.)	– money
red (m.)	– turn
sad smo mi na redu	– it is our turn now
promijeniti (promijenim)	– to change
sto	– a hundred
dolar (m.)	– dollar
mogu li promijeniti sto dolara?	– can l change a hundred dollars?
činovnik (m.)	– official, clerk, government clerk, public servant
američki (m.), američka (f.), američko (n.)	– American
tisuća (f.)	– a thousand
petsto	– five hundred
dinar (m.)	– dinar
nekoliko	– a few, some
mi te ovdje čekamo	– we will wait for you here; we are waiting for you here (literal translation)

86

Conversational expressions

u banci	– in the bank
čekati u redu	– to wait in a queue, to stand in a line
sad smo mi na redu	– it is our turn now
mogu li promijeniti sto dolara?	– can I change a hundred dollars?
mi ćemo te čekati	– we will wait for you

1. The Present Tense of the verb »moći« (to be able)

mo-ći – the infinitive
-ći – the ending of the infinitive
mog- – the Present Tense base

Affirmative

Singular	Singular
(ja) mogu	I can
(ti) možeš	you can
(on) može	he can
(ona) može	she can
(ono) može	it can
Plural	Plural
(mi) možemo	we can
(vi) možete	you can
(oni) mogu	they can

87

Interrogative

Singular	Singular
mogu li (ja)?	can I?
možeš li (ti)?	can you?
može li (on)?	can he?
može li (ona)?	can she?
može li (ono)?	can it?
Plural	Plural
možemo li (mi)?	can we?
možete li (vi)?	can you?
mogu li (oni)?	can they?

Negative

Singular	Singular
(ja) ne mogu	I cannot
(ti) ne možeš	you cannot
(on) ne može	he cannot
(ona) ne može	she·cannot
(ono) ne može	it cannot
Plural	**Plural**
(mi) ne možemo	we cannot
(vi) ne možete	you cannot
(oni) ne mogu	they cannot

Note the change of *g* into *ž* before *e* in the above forms of the verb *moći* (to be able).

The verb *moći* (to be able) forms the Present Tense in a slightly different way from the verbs listed under the following heading.

2. Verbs (repetition)

Some forms in Croatian are derived from the infinitive base, others from the present tense base.

The infinitive base is formed by dropping the endings of the infinitive, i.e. *-ti* and *-ći*.

Sometimes the infinitive and the present tense base have the same form. It is therefore necessary that both infinitive and present tense bases are learned. Form now on beside the infinitive we shall give the first person singular in the vocabulary list at the end of each lesson.

The Present Tense is formed by dropping the endings of the Present Tense: *-am, -im, -em, -jem.*

The Present Tense is formed by the addition of the following endings to the present tense base:

I	II	III	IV
-am	-im	-em	-jem
-aš	-iš	-eš	-ješ
-a	-i	-e	-je
-amo	-imo	-emo	-jemo
-ate	-ite	-ete	-jete
-aju	-e	-u	-ju

The following verbs have so far occurred in the texts:

biti (to be), ući (to come in), imati (to have), voljeti (to like), razgledati (to have a look around), sjesti (to sit down), razgovarati (to talk), izgledati (to look), izvoljeti (to have something), živjeti (to live), ići (to go), posjetiti (to visit), željeti (to want), vidjeti (to see), gajiti (to foster), pričati (to talk), govoriti (to speak), naučiti (to learn), raditi (to work), uzgajati (to raise, to grow), dolaziti (to come), kupovati (to buy), plesati (to dance), putovati (to travel), koštati (to cost), popiti (to drink up), piti (to drink), čekati (to wait), mijenjati (to change), promijeniti (to change).

The following verbs form their Present Tense like the verb *imati* (to have), i.e. by the endings *-am, -aš, -a, -amo, -ate, -aju:*

imati (imam), razgledati (razgledam), razgovarati (razgovaram), izgledati (izgledam), pričati (pričam), uzgajati (uzgajam), koštati (koštam), čekati (čekam), mijenjati (mijenjam).

The following verbs form their Present Tense like the verb *voljeti* (to like), i.e. by the endings *-im, -iš, -i, -imo, -ite, -e:*

voljeti (volim), izvoljeti (izvolim), živjeti (živim), posjetiti (posjetim), željeti (želim), vidjeti (vidim), gajiti (gajim), govoriti (govorim), naučiti (naučim), raditi (radim), dolaziti (dolazim), promijeniti (promijenim).

The following verbs form their Present Tense like the verb ići (to go), i.e. by the endings *-em, -eš, -e, -emo, ete, -u.*

ići (idem), ući (ud + jem –» uđem), plesati (ples + jem –» plešem).

The following verbs form their Present Tense like the verb *kupovati* (to buy), i.e. by the endings *-jem, -ješ, -je, -jemo, -jete, -ju.*

kupovati (kupujem), putovati (putujem), popiti (popijem), piti (pijem).

Translation from Lesson 12:

(I)
1. Kupuješ li ovu ploču?
2. Da, ja kupujem ovu ploču.
3. Putuje li ona od Londona do Zagreba?
4. Da, ona putuje od Londona do Zagreba.
5. Pije li on vino?
6. Ne, on ne pije vino.
7. Putujete li u Samobor?
8. Da, mi putujemo u Samobor.
9. Idu li oni u Dalmaciju?
10. Da, oni idu u Dalmaciju.

(II)
1. Moj prijatelj putuje od Londona do Zagreba.
2. Tvoja sestra razgleda vrt.
3. Njegovo dijete ne voli piti mlijeko.
4. Njezina snaha radi u vrtu.
5. Naše je selo veliko.
6. Naši roditelji žele vidjeti hrvatsku obalu.
7. Vaše sestre ne vole limunadu.
8. Njezine učenice razgovaraju o moru.
9. Njegova djeca ne vole raditi.
10. Naša djeca govore o ljepotama Hrvatske.
11. Njihovi roditelji žive u Samoboru.
12. Njihova djeca putuju u London.

(III)
1. Ovaj je štap moj.
2. Ona je ruža tvoja.
3. Onaj je auto njegov.
4. Ovo je dijete njezino.
5. Ovi su kolači naši.
6. One su kuće vaše.
7. Ova su djeca njihova.

(IV)
1. Želim mnogo naučiti o gradu Zagrebu.
2. Oni razgovaraju o Splitu.

90

14. vjèžba (Četr̀naesta vjèžba)

U »SAMOBÓRCU«

Joseph: Dànas ìdemo u Sàmobor. Tàmo žívi mòja májka, a vàša báka. U Sàmoboru se òvog tjèdna odr̀žava iseljènički pìknik.

John: Ìdemo li vlákom, àutobusom ili automòbilima?

Joseph: Ìdemo automòbilima.

Jòsip: Mòžemo li John, Edvard, Jane, Ìvan, Àntun, Mà-rija i já ìći »Samobórcem«?

Mary: Tó je zàista dòbra idéja! Zar stári, romàntični »Sa-mobórec« jòš vòzi? Àli gdjè su Edvard i Jane?

Jòsip: Edward se òblači, a Jane se jòš ùmiva.

Àna: Já sam vèć gòtova. A štò je to »Samobórec«?

Jane: »Samobórec« je pòpularni náziv za žèljeznicu koja vòzi ìzmeđu Zàgreba i Sàmobora. Ljúdi je zòvu »péglica«.

Jane: Tó je dívno! Ìdemo òdmah na kòlodvor. Do viđé-nja.

Jòsip: Òvo je nòvi sàmoborski kòlodvor, a òno tàmo je »Samobórec«.

Jane: Táj vlák nìje stàr, nègo je nòv i lijép. I kàko je ùdoban!

Jòsip: Zòve se i »Srèbrna strijéla«.
Svàke sùbote i nèdjelje òna vòzi ìzletnike i plani-náre u Sàmobor.

Jane: Sàd smo na mòstu, a ispòd nas je vèlika rijéka. Vòda u rijéci bìstra je i čìsta.

Planìnar: Tá se rijéka zòve Sàva. Sàd je vòda u rijèci bìstra, čìsta i mòdra, a kàtkada je síva i mútna.

Edward: Jè li òno stári sàmoborski grád?

Planìnar: Dà, to je nàš stári sàmoborski grád – na vr̀hu bri-jéga. Tùristi čèsto dòlaze da vìde stári grád. Tàmo je i krásan pàrk, »Ànindol«, a pòdno brijéga nalazi se lijép bàzen za plìvanje. Èvo, vèć smo u Sàmo-boru. Do viđénja.

Svì: Do viđénja.

četrnaesta (f.)	– fourteenth
Samoborac (m.)	– a native of the town of Samobor; also, a popular name for the train which runs from Zagreb to Samobor; people from Samobor and Zagreb would say »Samoborec«, which is a dialect form of »Samoborac«
u »Samoborcu«	– in the »Samoborec« train
danas	– today
živjeti (živim)	– to live
tjedan (m.)	– week
ovog tjedna	– this week
održavati se (održavam se)	– to be held, to take place
iseljenički (m.), iseljenička (f.), iseljeničko (n.)	emigrant
piknik (m.)	– picnic
iseljenički piknik	– emigrants' picnic
možemo li ići »Samoborcem«?	– can we go on the »Samoborec« train?
ideja (f.)	– idea
to je zaista dobra ideja	– that is really a good idea
zar	– really
star (m.), stara (f.), staro (n.)	– old
romantičan (m.), romantična (f.), romantično (n.)	– romantic
voziti (vozim)	– to run (of trains and buses)
zar stari, romantični »Samoborec« još vozi	– does the old, romantic »Samoborec« really still run; the conjunction zar is a more emphatic form of the interrogative and expresses surprise
oblačiti se (oblačim se)	– to dress (oneself)
umivati se (umivam se)	– to wash (oneself)
gotov (m.), gotova (f.), gotovo (n.)	– ready
ja sam već gotova	– I am already ready
što je to	– what is this

92

što je to »Samoborec«	– what does the »Samoborec« mean
popularan (m.), popularna (f.), popularno (n.)	– popular
naziv (m.)	– name, title, term
željeznica (f.)	– railway
koji (m.), koja (f.), koje (n.)	– which
između	– between
zvati (zovem)	– to call
ljudi je zovu	– it is called; people call it (literal translation)
»peglica« (f.)	– a small iron; »peglica« is a diminutive form of the word *pegla* (iron), which is a dialect form of the word *glačalo* (iron)
divno	– wonderfully, marvellously
to je divno	– that is marvellous
odmah	– immediately, at once, straight off
ovo je	– this is
ono tamo je	– that over there is
taj (m.), ta (f.), to (n.)	– this
nego	– but
i kako je udoban	– and how comfortable it is
zvati se (zovem se)	– to ·be called, to have a name
srebrni (m.), srebrna (f.), srebrno (n.)	– silver
strijela (f.)	– arrow
svak (m.), svaka (f.), svako (n.)	– every; *svake* is the Genitive form of the adjective *svaka*
subota (f.)	– Saturday
nedjelja (f.)	– Sunday
svake subote i nedjelje	– every Saturday and Sunday
voziti (vozim)	– take, drive, convey in a vehicle or public conveyance
izletnik (m.)	– excursionist, tripper, tourist
planinar (m.)	– mountaineer, climber
ona vozi izletnike i planinare	– she takes (carries) excursionists and mountaineers
most (m.)	– bridge
na mostu	– on the bridge
ispod	– under

ispod nas	– under us
voda (f.)	– water
bistar (m.), bistra (f.), bistro (n.)	– transparent
modar (m.), modra (f.), modro (n.)	– blue
siv (m.), siva (f.), sivo (n.)	– grey
mutan (m.), mutna (f.), mutno (n.)	– muddy
grad (m.)	– castle; note that the word *grad* (town) has here the meaning of *castle, fortress*
vrh (m.)	– top
brijeg (m.)	– hill
na vrhu brijega	– on the top of a hill
turisti često dolaze da vide stari grad	– tourists often come to see the old castle
park (m.)	– park
podno	– at the foot
podno brijega	– at the foot of the hill
nalaziti se (nalazim se)	– to be situated, to be found, to find oneself
bazen (m.)	– swimming-pool
plivanje (n.)	– swimming
bazen za plivanje	– swimming-pool; a pool for swimming (literal translation)
djevojčica (f.)	– a little girl; *djevojčica* is a diminutive of the word *djevojka* (girl)

94

Conversational expressions

u »Samoborcu«	– in the »Samoborec« train
danas	– today
ovog tjedna	– this week
to je zaista dobra ideja	– that is really a good idea
ja sam već gotova	– I am already ready
što je to?	– what is this?
to je divno	– that is marvellous
odmah	– immediately, at once
ovo je	– this is
ono je	– that is
kako je udoban	– how comfortable it is
svake subote i nedjelje	– every Saturday and Sunday

na mostu	– on the bridge
ispod nas	– under us
na vrhu brijega	– on the top of a hill
podno brijega	– at the foot of a hill

Grammatical explanation

1. Reflexive verbs

Many verbs in Croatian are used with the reflexive pronoun *se* e.g. *prati se* (to wash oneself). They are called reflexive verbs. The pronoun *se* has the meaning of *self*. It may or may not be expressed in the English equivalent. This means that there are verbs which are reflexive in Croatian but not in English e.g. *šaliti se* (to joke). *Se* is used for all persons in both singular and plural, and therefore corresponds to all English reflexive pronouns – *myself, thyself (yourself), himself, herself, itself, ourselves, yourselves, themselves.*

Affirmative

Singular		Singular
ja se perem	perem se	I am washing myself
ti se pereš	pereš se	you are washing yourself
on se pere	pere se	he is washing himself
ona se pere	pere se	she is washing herself
ono se pere	pere se	it is washing itself
Plural		Plural
mi se peremo	peremo se	we are washing ourselves
vi se perete	perete se	you are washing yourselves
oni se peru	peru se	they are washing themselves

Interrogative

Singular		Singular
da li se (ja) perem?	perem li se (ja)?	am I washing myself?
da li se (ti) pereš?	pereš li se (ti)?	are you washing yourself?
da li se (on) pere?	pere li se (on)?	is he washing himself?
da li se (ona) pere?	pere li se (ona)?	is she washing herself?
da li se (ono) pere?	pere li se (ono)?	is it washing itself?

Plural		Plural
da li se (mi) peremo?	peremo li se (mi)?	are we washing ourselves?
da li se (vi) perete?	perete li se (vi)?	are you washing yourselves?
da li se (oni) peru?	peru li se (oni)?	are they washing themselves?

Negative

Singular		Singular
ja se ne perem	ne perem se	I am not washing myself
ti se ne pereš	ne pereš se	you are not washing yourself
on se ne pere	ne pere se	he is not washing himself
ona se ne pere	ne pere se	she is not washing herself
ono se ne pere	ne pere se	

Plural		Plural
mi se ne peremo	ne peremo se	we are not washing ourselves
vi se ne perete	ne perete se	you are not washing yourselves
oni se ne peru	ne peru se	they are not washing themselves

The pronoun *se* either precedes or follows the verb, but it cannot begin a sentence. It usually follows the verb, but it precedes it if a noun or a pronoun is used as the subject of the sentence e.g.

Perem se ujutro.	I wash myself in the morning.
Edward se sada oblači.	Edward is dressing himself now.
Ona se zove Jane.	Her name is Jane.

2. Adjectives

Adjectiv agree with the noun they qualify in case, gender and number e.g.

Masculine	Feminine	Neuter
mlad čovjek	mlada majka	mlado drvo
young man	young mother	young tree

The adjectives may be classified as soft and hard. The adjective is soft if the last consonant of the base (stem) is: *j, lj, nj, c, č, š, đ, dž, z.* Otherwise it is hard. Thus *vruć* is soft but *nov* is hard.

Adjectives have two forms, indefinite and definite. The indefinite and the definite forms are the same with the majority of adjectives, except that the definite form has a final *i*. The indefinite and the definite forms of the adjectives *mlad* and *romantičan* are as follows:

	Masculine	Feminine	Neuter
Indefinite:	mlad	mlada	mlado
	romantičan	romantična	romantično
Definite:	mladi	mlada	mlado
	romantični	romantična	romantično

Note that there is no difference in spelling between the indefinite and the definite forms in the Nominative singular of feminine and neuter adjectives.

Some adjectives have only the indefinite form e.g.

bratov (brother's), *prijateljev* (friend's), *sestrin* (sister's); some only the definite form e.g. *hrvatski* (Croatian), *američki* (American).

Exercises

Translate into Croatian:
(I)
1. Is her name Vivian? No, her name is not Vivian.
2. Is Edward washing himself now? No, Edward is not washing himself now.
3. Does Višnja wash herself every day? Yes, Višnja washes herself every day.

(II)
Write the indefinite and the definite forms od the following adjectives: *dobar, star i nov.*

15. vježba (Pètnaesta vježba)

NA BALKÓNU BÁKINE KÙĆE

John: Báko, Sàmobor je *krásan grád*. Žìvot u Sàmoboru sìgurno je vȑlo *lijep* i *ùgodan*. A je li Sàmobor *stàr?*

Báka: Dà, Sàmobor je vȑlo stàr. Tó je *stári* hȑvatski grád. Sàmobor je pòznato ljetòvalište i ìzletište, a nèdaleko od Sàmobora nàlazi se glasóvito sùmporno kùpalište. Nò, on je i *nòv* grád – u Sàmoboru se náglo ràzvija indùstrija. A sàd ìdemo na bàlkon. Màrija i Jòsip nas tàmo čèkaju.

Jane: I já ìdem na bàlkon.

Báka: Màrijo i Jòsipe, jèste li ùmorni? Jèste li gládni?

Mary: Nìsmo, májko. Óvdje je tàko lijépo. Zrák je *čìst* i *tòpao*. Ùgodno je sjéditi na *čìstu* zràku i na *tòplu* súncu. A pògled je s balkóna *dívan*.

Jane: A dòlje je *vèlik* pòtok.

Báka: Tó je pòtok Grádna.

Jane: Mòžemo li John, Edward i já sìći do pótoka?

Joseph: Mòžete. Ali bȑzo se vrátite na ùžinu.

Báka: Lijépo je kad je čòvjek *mlád* i *zdràv*. *Mládu* i *zdràvu* čòvjeku nìšta nije téško, a *bòlestan* i *stàr* čòvjek nije nì za što. A sàd ìdemo na ùžinu, drági mòji gósti. Stól je vèć *pròstrt*.

The indefinite adjectives in the text are printed in italics.

98

Words and phrases

petnaesta (f.)	– fifteenth
na balkonu bakine kuće	– on the balcony of Grandmother's house
život (m.)	– life
sigurno	– certainly, surely, undoubtedly
ljetovalište (n.)	– summer holiday resort
izletište (n.)	– a place where one goes for excursions and trips
nalaziti se (nalazim se)	– to be situated, to be found, to find oneself

sumporan (m.), sumporna (f.), sumporno (n.)	– sulphur, sulphurous
kupalište (n.)	– bathing-place, watering-place
sumporno kupalište	– sulphur spa, thermae
razvijati se (razvijam se)	– to develop
naglo	– rapidly, quickly
industrija (f.)	– industry
jeste li umorni?	– are you tired?
gladan (m.), gladna (f.), gladno (n.)	– hungry
jeste li gladni?	– are you hungry?
ovdje je tako lijepo	– it is so nice here
zrak (m.)	– air
topao (m.), topla (f.), toplo (n.)	– warm
ugodno	– pleasantly
sjediti (sjedim)	– to sit
ugodno je sjediti na čistu zraku i na toplu suncu	– it is pleasant to sit in the clean air and in the warm sun
pogled (m.)	– view
pogled s balkona	– a view from the balcony
divan (m.), divna (f.), divno (n.)	– marvellous, wonderful, gorgeous, splendid
dolje	– down, below
potok (m.)	– brook
sići (siđem)	– to come down, to go down
možemo li sići do potoka	– can we go down to the brook
brzo	– quickly
vratiti se (vraćam se)	– to come back
užina (f.)	– a light repast; this is an in-between meal served betwen lunch and dinner (supper)
zdrav (m.), zdrava (f.), zdravo (n.)	– healthy
lijepo je kad je čovjek mlad i zdrav	– it is nice when one is young and healthy
ništa	– nothing
mladu i zdravu čovjeku ništa nije teško	– nothing is dificult for a young and healthy man; (note the double negation of the Croatian expression)

99

bolestan (m.), bolesna (f.), bolesno	– sick, ill
bolestan i star čovjek nije ni za što	– a sick (and) old man is no good for anything
gost (m.)	– guest
dragi moji gosti	– my dear guests
prostrt (pp)	– laid, set

Conversational expressions

na balkonu bakine kuće	– on the balcony of Grandmother's house
jeste li umorni?	– are you tired?
jeste li gladni?	– are you hungry?
ovdje je tako lijepo	– it is so nice here
ugodno je sjediti na čistu zraku	– it is nice to sit in the clean air
pogled s balkona	– a view from the balcony
lijepo je kad je čovjek mlad i zdrav	– it is nice when one is young and healthy
mladu i zdravu čovjeku ništa nije teško	– nothing is difficult for a young and healthy man
bolestan i star čovjek nije ni za što	– a sick and old man is no good for anyhting
dragi moji gosti	– my dear guests
stol je već prostrt	– the table is already laid (set)

100

Grammatical explanation

---

1. Indefinite adjectives

Masculine	Feminine	Neuter
mlad	mlada	mlado
topao	topla	toplo
vruć	vruća	vruće

The Nominative singular masculine ends in a consonant e.g. *nov,* or in an *-o* which is derived from *-l* e.g. *topao.* Neuter adjectives ending in a soft consonant have the ending -*e* in the Nominative singular e.g. *vruće.*

2. Declension of indefinite adjectives

Singular

Masculine	Feminine	Neuter
N. mlad	mlad-a	mlad-o
G. mlad-a	mlad-e	mlad-a
D. mlad-u	mlad-oj	mlad-u
A. mlad, mlad-a	mlad-u	mlad-o
V. mlad-i (mlad)	mlad-a	mlad-o
P. mlad-u	mlad-oj	mlad-u
I. mlad-im	mlad-om	mlad-im

Indefinite adjectives are declined in the singular like masculine nouns in the singular except for the Instrumental singular.

The Instrumental singular of indefinite adjectives has the ending -*im* for the masculine and neuter genders, and -*om* for the feminine.

In the masculine singular of indefinite adjectives the Accusative is the same as the Nominative if the noun is inanimate, but the same as the Genitive if the noun is animate

Plural

Masculine	Feminine	Neuter
N. mlad-i	mlad-e	mlad-a
G. mlad-ih	mlad-ih	mlad-ih
D. mlad-im(a)	mlad-im(a)	mlad-im(a)
A. mlad-e	mlad-e	mlad-a
V. mlad-i	mlad-e	mlad-a
P. mlad-im(a)	mlad-im(a)	mlad-im(a)
I. mlad-im(a)	mlad-im(a)	mlad-im(a)

Masculine indefinite adjectives ending in -*o* formerly ended in -*l* but the -*l* was changed into -*o* with the development of the language. The -*l* appears in all cases except the Nominative singular and those cases which have the same form as the latter. The feminine and neuter forms have the *-l*. The declension of the adjective *topao, topla, toplo* (warm) in the masculine singular runs as follows: N. *topao*, G. *topl-a*, D. *topl-u*, A. *topao (topl-a)*, V. *topl-i*, P. *topl-u*, I. *topl-im*.

When the indefinite adjective ends in *-o* which is derived from *-l*, mobile *-a* appears e.g. *topao, topla, toplo*.

Exercises

Translation from Lesson 14:
(I)
1. Zove li se ona Vivian? Ne, ona se ne zove Vivian.
2. Pere li se Edward sada? Ne, Edward se sada ne pere.
3. Pere li se Višnja svaki dan? Da, Višnja se pere svaki dan.

(II)
The indefinite and definite forms of the adjectives from Lesson 14 are as follows: *dobar, dobra, dobro* (indefinite) – *dobri, dobra, dobro* (definite); *star, stara, staro* – *stari, stara, staro; nov, nova, novo* – *novi, nova, novo*.

16. vježba (Šèsnaesta vježba)

U PRODAVAÒNICI NÁRODNIH RUKOTVÒRINA

Mary: Dòbar dán.
Prodávač: Dòbar dán. Štò žèlite, gòspođo? Štò žèliš, djevòjčice?
Mary: Ìmate li národne stólnjake?
Prodávač: Kàkav stólnjak žèlite? U kòjoj bòji? Cŕven, plàv, zèlen ili cŕn?
Mary: Mòlim vas ònaj *cŕveni* stólnjak, a i ònaj *cŕni*. Cŕn stólnjak vŕlo je elegàntan.
Prodávač: Òvo je vŕlo lijép *dòmaći* stólnjak.
Mary: Kolíko kóšta?
Prodávač: Pét tìsuća dìnara.
Mary: Kúpit ću dvá stólnjaka: *cŕveni i cŕni*.
Jane: A já kúpujem lùtku u hŕvatskoj národnoj nóšnji.
Prodávač: Kòju lùtku, mòlim?
Jane: Ònu tàmo – u cŕvenoj nóšnji.
Prodávač: Tó je lùtka u národnoj nóšnji iz Pòsavine.
Jane: Ìma lijép pŕsluk. A kolíko stòji?
Prodávač: Cètiri tìsuće dìnara.
Jane: Vŕlo je skúpa, àli je lijépa. Štò ti mìsliš, màma?
Mary: Mìslim da je lùtka u pòsavskoj národnoj nóšnji zàista lijépa. U Amèrici ljúdi nè nose národnu nóšnju kao u *stárom* kráju. Mòlim ràčun.
Prodávač: Izvòlite plátiti na blàgajni.
Prodávač: Hvála vam. Do viđénja.
Jane: Do viđénja.
Mary: Do viđénja.

103

The definite adjectives in the text are printed in italics.

šesnaesta (f.)	– sixteenth
rukotvorina (f.)	– thing produced or manufactured by hand; a hand-made article
prodavaonica rukotvorina	– shop where hand-made goods are sold
prodavač (m.)	– salesman, shop-assistant
prodavačica (f.)	– saleswoman, female shop-assistant
što želite, gospođo?	– what would you like madam?
što želiš, djevojčice?	– what would you (s.) like, little girl?
stolnjak (m.)	– table-cloth
kakav (m.), kakva (f.), kakvo (n.)	– what kind (sort) of
kakav stolnjak želite?	– what kind of table-cloth do you want?
boja (f.)	– colour
u kojoj boji?	– what colour?
plav (m.), plava (f.), plavo (n.)	– blue
crn (m.), crna (f.), crno (n.)	– black
zelen (m.), zelena (f.), zeleno (n.)	– green
molim vas	– please; the literal translation of the expression *molim vas* is *I beg you*; *molim* comes from the verb *moliti* (to beg, to ask for)
također	– also, too
molim vas ovaj crveni stolnjak?	– give me this red table-cloth, please?
elegantan (m.), elegantna (f.), elegantno (n.)	– elegant
domaći (m.), domaća (f.), domaće (n.)	– domestic
kupit ću	– I will buy
lutka (f.)	– doll
koju lutku, molim?	– which doll, please?
Posavina (f.)	– a part of Croatia along the river Sava
prsluk (m.)	– waistcoat
stajati (stojim)	– to cost
skup (m.), skupa (f.), skupo (n.)	– expensive
misliti (mislim)	– to think
što ti misliš?	– what do you (thou) think?

da	– that
posavski (m.), po-savska (f.), posav-sko (n.)	– Posavina, from Posavina
Amerika (f.)	– America
u Americi	– in America
nositi (nosim)	– to wear
kraj (m.)	– a part of the country (literally); home, homeland, fatherland
stari kraj	– old mother country, old fatherland; *stari kraj* when used by Croatian emigrants in America means *Croatia*
molim račun	– can I have the bill, please
platiti (platim)	– to pay
blagajna (f.)	– paying-desk, cash-desk
na blagajni	– at the paying-desk
izvolite platiti na blagajni	– please pay at the paying-desk

Conversational expressions

što želite, gospođo?	– what would you like, madam (lady)?
što želiš, djevojčice?	– what would you (thou) like, little girl?
kakav stolnjak želite?	– what kind (sort) of table-cloth do you want?
u kojoj boji?	– what colour?
molim vas ovaj crveni stolnjak	– give me this red table-cloth, please
što ti misliš?	– what do you (thou) think?
u Americi	– in America
stari kraj	– old mother country
molim račun	– can I have the bill, please
izvolite platiti na blagajni	– please pay at the paying-desk

1. Declension of definite adjectives

Singular

Masculine	
Hard	Soft
N. mlad-i	domać-i
G. mlad-og(a)	domać-eg(a)
D. mlad-om(e,u)	domać-em(u)
A. mlad-i	domać-i
mlad-og(a)	domać-eg(a)
V. mlad-i	domać-i
P. mlad-om(e)	domać-em(u)
I. mlad-im	domać-im

In the masculine singular of definite adjectives the Accusative is the same as the Nominative if the noun is inanimate, but the same as the Genitive if the noun is animate.

Feminine
N. mlad-a
G. mlad-e
D. mlad-oj
A. mlad-u
V. mlad-a
P. mlad-oj
I. mlad-om

Neuter	
Hard	Soft
N. mlad-o	domać-e
G. mlad-og(a)	domać-eg(a)
D. mlad-om	domać-em(u)
A. mlad-o	domać-e
V. mlad-o	domać-e
P. mlad-om(e)	domać-em(u)
I. mlad-im	domać-im

Plural

Masculine	Feminine	Neuter
N. mlad-i	mlad-e	mlad-a
G. mlad-ih	mlad-ih	mlad-ih
D. mlad-im(a)	mlad-ima	mlad-im(a)
A. mlad-e	mlad-e	mlad-a
V. mlad-i	mlad-e	mlad-a
P. mlad-im(a)	mlad-im(a)	mlad-im(a)
I. mlad-im(a)	mlad-im(a)	mlad-im(a)

In the declension of the definite adjective there is a difference between the hard and the soft category of adjectives in the masculine and neuter singular but not in the feminine singular of plurals of any gender.

After a soft consonant the sound -o is changed into -e. This change appears in the Genitive, Dative and Prepositional masculine and neuter singular, and in the Nominative and Accusative neuter singular.

Longer and shorter endings appear in some cases: in the Genitive, Dative and Prepositional singular masculine and neuter, and in the Dative, Prepositional and Instrumental of all genders. Thus in the Genitive singular masculine we may have either *mladog* or *mladoga*. Sometimes the longer endings are used, sometimes the shorter. There is a tendency to use the shorter forms more often.

2. The usage of the indefinite and the definite adjective

Distinction between the usage of the indefinite and the definite adjective is similar to the distinction made in English between the usages of the definite and indefinite articles. It is often correct to use the indefinite adjective in Croatian where the indefinite article *a* would be used in English before the noun it is qualifying; and to use the definite adjective if in English the definite article *the* would be required. This parallel does not always hold good.

Examples:

Ivanov kaput je nov.	Ivan's coat is a new one.
Gdje je novi kaput?	Where is the new coat?
Kakav stolnjak želite, crn ili smeđ?	What sort of a table-cloth do you want, a black one or a brown one?

Novi je stolnjak vrlo   The new table-cloth is very nice.
lijep.

The distinction between indefinite and definite adjectives is becoming more inconsistent. In spoken language the definite form is used far more than the indefinite. There is a general rule which may help the learner to use the two forms of the adjective more correctly: the indefinite form is used for adjectives which are predicative and the definite for those which are attributive e.g.

Indefinite

Samobor je star.
Samobor is old.
John je mlad.
John is young.
Pogled je s terase krasan.
The view from the terrace is marvellous.

Definite

Stari samoborski grad smješten je na vrhu brijega.
The old Samobor castle is situated at the top of a hill.
Crveni je tanjur kraj modroga.
The red plate is near the blue one.
Novi prsluk vrlo je lijep.
The new waistcoat is very nice.

Exercises

(I)
Give the masculine singular indefinite form of the following definite adjectives: skupi, elegantni, zeleni, crni, bolesni, divni, topli, gladni, ukusni, dobri.

(II)
Give the masculine singular definite form of the following indefinite adjectives: sumporan, mutan, siv, modar, bistar, popularan, gotov, romantičan, star, žedan.

Translate into Croatian:
(III)
1. The air is clean and warm.
2. The view from the balcony is georgeous.
3. This table-cloth is blue, and that one is red.
4. A sick man is not able to work.
5. It is pleasant to sit in the warm sun.
6. The swimming-pool is situated at the foot of the hill.
7. Life in a large town is interesting.
8. My friend is sitting in the large park.
9. The red car is on the right.
10. I want to buy that black table-cloth.

17. vježba (Sedàmnaesta vježba)

U RESTORÁNU »LÀVICA«

Joseph: Dòbar vèčer. Jè li òvaj stól slòbodan?

Kònobar: Dà, slòbodan je. Izvòlite sjèsti. *Hòćete li vèčerati?*

Joseph: *Hòćemo.* Štò ìmate za vèčeru?

Kònobar: Ìmamo hládne náreske, pìleću i gòveđu júhu, tèleće pečénje, bìftek, salàtu i kòlač.

Joseph: Já vòlim bìftek. I John i Edward vòle bìftek. Jane, *hòćeš li* i ti bìftek?

Jane: Hvála, *néću.* Já nè volim bìftek. Vòlim tèleće pečénje.

Mary: I já *ću* tèleće pečénje, kào i Jane. A ìmate li savìjaču od trèšanja? Mí svì vòlimo savìjaču od trèšanja.

Kònobar: Ìmamo. A kàkvo píće žèlite?

Joseph: Lìtru vína. A za djècu, štò *ćemo* za Edwarda i Jane?

Kònobar: Ìmamo òdličan vòćni sók od jàgoda.

Mary: Tó je òdlično. Djèca vòle sók od jàgoda.

Joseph: Mòlim vas, donèsite pét gòveđih júha, trì bìfteka, dvá tèleća pečénja, pét salàta i pét koláča. Dà, i lìtru vína, i dvá vòćna sóka.

Kònobar: Òdmah, mòlim.

The forms of the verb *htjeti* are printed in italics.

Words and phrases

sedamnaesta (f.)	– seventeenth
restoran (m.)	– restaurant
u restoranu	– in the restaurant
»Lavica« (f.)	– the name of a restaurant in Samobor
večer (m.)	– evening
dobar večer	– good evening
slobodan (m.), slobodna (f.), slobodno (n.)	– free, unoccupied, unreserved
je li onaj stol slobodan	– is that table free?

večerati (večeram)	– to have dinner (supper)
hoćete li večerati?	– would you like to have dinner?, do you want to have dinner?
večera (f.)	– dinner, supper
što imate za večeru?	– what have you got for dinner?
hladan (m.), hladna (f.), hladno (n.)	– cold
narezak (m.)	– cut, a slice of something (ham, sausages, etc.)
hladni naresci (pl.)	– cold cuts; slices of various sorts of sausages, salamis, ham or cheese eaten as the first course of the meal (hours d'ouvre)
goveđi (m.), goveđa (f.), goveđe (n.)	– beef
goveđa juha	– beef soup
teleći (m.), teleća (f.), teleće (n.)	– veal
pečenje (n.)	– roast meat
teleće pečenje	– roast veal
biftek (m.)	– beefsteak
kolač (m.)	– cake
kao i	– as, like
piće (n.)	drink
kakav (m.), kakva (f.), kakvo (n.)	– what kind (sort) of
kakvo piće želite?	– what would you like to drink?; what sort of drink would you like?
litra (f.)	– litre (liter), about 1 3/4 pints
vino (f.)	– wine
litru vina	– a litre of wine; *litru* is the Accusative of the word *litra*
djeca (pl.)	children; the word *djeca* is a collective noun; it is declined like feminine singular nouns in -*a* (žena) but takes a plural verb
voćni (m.), voćna (f.), voćno (n.)	– fruit
sok (m.)	– juice
voćni sok	– fruit juice
jagoda (f.)	– strawberry
voćni sok od jagoda	– strawberry juice
to je odlično	– that is excellent
donesite	– bring
molim vas donesite?	– will you please bring?
odmah	– presently, immediately, at once
odmah, molim	– I am just coming

Conversational expressions

u restoranu	– in the restaurant
dobar večer	– good evening
je li onaj stol slobodan?	– is that table free?
hoćete li večerati?	– would you like to have dinner?
što imate za večeru?	– what have you got for dinner?
kakvo piće želite?	– what would you like to drink?
to je odlično	– that is excellent
molim vas donesite	– will you please bring

Grammatical explanation

1. The Present Tense of the verb htjeti (to want, to wish for)

Affirmative

Short form	Long form		
Singular		Singular	
ja ću	(ja) hoću	I shall (will)	I want
ti ćeš	(ti) hoćeš	you will	you want
on će	(on) hoće	he will	he wants
ona će	(ona) hoće	she will	she wants
ono će	(ono) hoće	it will	it wants
Plural		Plural	
mi ćemo	(mi) hoćemo	we shall (will)	we want
vi ćete	(vi) hoćete	you will	you want
oni će	(oni) hoće	they will	they want

Interrogative

Singular		Singular	
hoću li?	da li (ja) hoću?	shall (will) I?	do I want?
hoćeš li?	da li (ti) hoćeš?	will you?	do you want?
hoće li?	da li (on) hoće?	will he?	does he want?
hoće li?	da li (ona) hoće?	will she?	does she want?
hoće li?	da li (ono) hoće?	will it?	does it want?

Plural		Plural	
hoćemo li?	da li (mi) hoćemo?	shall (will) we?	do we want?
hoćete li?	da li (vi) hoćete?	will you?	do you want?
hoće li?	da li (oni) hoće?	will they?	do they want?

Negative

Singular	Singular	
(ja) neću	I shall (will) not	I do not want
(ti) nećeš	you will not	you do not want
(on) neće	he will not	he does not want
(ona) neće	she will not	she does not want
(ono) neće	it will not	it does not want
Plural	Plural	
(mi) nećemo	we shall (will) not	we do not want
(vi) nećete	you will not	you do not want
(oni) neće	they will not	they do not want

The verb *htjeti* is used as a principal and as an auxiliary verb. When used as a principal verb it means *to want, to wish for.* As an auxiliary it is used in forming the Future Tense. In this lesson the verb *htjeti* is used as a principal verb.

In the following examples the verb *htjeti* is used as a principal verb:

Hoćete li večerati?	Do you want to have supper?
Hoćeš li čaja?	Do thou (you) want some tea?
Što ćemo za djecu?	What shall we have (order) for the children?
Hvala, neću biftek.	No, thank you, I do not want beefsteak.
Hoćete li u restoran?	Would you like to go to the restaurant?
A što ćeš ti? Ja ću teleće pečenje.	And what would thou (you) like? I want roast veal.

(I)

The masculine singular indefinite form of the adjectives from Lesson 16 is as follows: skup, elegantan, zelen, crn, bolestan, divan, topao, gladan, ukusan, dobar.

(II)

The masculine singular definite form of the adjectives from Lesson 16 is as follows: sumporni, mutni, sivi, modri, bistri, popularni, gotovi, romantični, stari, žedni.

Translation from Lesson 16:
(III)
1. Zrak je čist i topao.
2. Pogled s balkona je divan.
3. Ovaj stolnjak je modar, a onaj je crn.
4. Bolestan čovjek ne može raditi.
5. Ugodno je sjediti na toplu suncu.
6. Bazen je smješten podno brda.
7. U velikom gradu život je zanimljiv.
8. Moj prijatelj sjedi u velikom parku.
9. Crveni je auto nadesno.
10. Želim kupiti onaj crni stolnjak.

18. vjèžba (Osàmnaesta vjèžba)

ISELJÈNIČKI PÌKNIK U SÀMOBORU

Báka: Gdjè su djèca?

Mary: Ìgraju se za kùćom u vrtu.

Joseph: Èvo, već dólaze. Djèco, sùtra će se kraj Sàmobora *održati* iseljènički pìknik.

John: A gdjè *će se održati* iseljènički pìknik. Mòžda u sèlu Mìrnovcu?

Joseph: Nè, pìknik se *néće održati* u sèlu Mìrnovcu, nègo na Šmìdhenovu kùpalištu nèdaleko od Sàmobora.

Edward: *Hòće li* tàmo biti Jòsip, Ìvan i Àntun?

Joseph: Dà, i òni će *biti* tàmo – i gospòdin i gòspođa Kòvačić. I mnògi drùgi iseljeníci iz Amèrike. Na pìkniku *će govòriti* prèdsjednik Hrvatske màtice iseljeníka. *Nastùpit će* dòmaći ansàmbli, tambùraški òrkestar gràdišćanskih Hrváta »Cìndrof« i amèrički òrkestar »The Pittsburgh Junior Tamburitzans«.

Edward: *Hòće li* báka ìći na pìknik?

Mary: Náravno, svì *ćemo biti* na pìkniku.

Jane: Zàr *će ìći* i báka? A tkò će *kùhati* òbjed i vèčeru za vrijéme pìknika?

Báka: Drága Jane, ja *ću* òbjed i vèčeru *dònijeti* u kòšari – tó *će bìti* právi pìknik.

Jane: Dìvno! *Bìt će* tó zàista dìvno!

Tó *će bìti* právo národno vesélje.

The Future Tense is printed in italics.

115

Words and phrases

osamnaesta (f.)	– eighteenth
gdje su djeca?	– where are the children?
igrati se (igram se)	– to play
evo	– look, there, look there, see, see there
dolaziti (dolazim)	– to come
evo, već dolaze	– look, here they are; they are coming (literal translation)

održati se (održim se)	– to take place, to be held
sutra će se održati iseljenički piknik	– the Emigrants' picnic will be held tomorrow
možda	– perhaps
selo (n.)	– village
Mirnovec	– Mirnovec, the name of a village near Samobor
u Mirnovcu	– in Mirnovec
nego	– but
Šmidhenov, a, o	– Šmidhen's
Šmidhenovo kupalište	– Šmidhen's bathing-place, Šmidhen's spa
mnogi (m.), mnoga (f.), mnogo (n.)	– many
predsjednik (m.)	– president
nastupiti (nastupam)	– to take part in the programme
ansambl (m.)	– ensemble
tamburaški, a, o	– tamburitza; the adjective *tamburaški* comes from the word *tamburica* which denotes a kind of musical instrument played in Croatia.

116

orkestar (m.)	– orchestra
gradišćanski, a, o	– from Gradišće (Burgenland in Austria); Croatians living in Gradišće are called »gradišćanski Hrvati«
gradišćanski Hrvati	– Croatians from Gradišće
i	– and
naravno	– naturally, surely, certainly, of course
zar će ići i baka?	– will Grandmother really go too?
tko	– who
kuhati (kuham)	– to cook
za vrijeme	– during
donijeti (donosim)	– to bring
košara (f.)	– basket
u košari	– in the basket
to će biti pravi piknik	– it will be a real picnic
veselje (n.)	– merry-making, entertainment
to će biti pravo narodno veselje	– it will be a real national merry-making

Conversational expressions

gdje su djeca?	– where are the children?
evo, već dolaze	– look, here they are
naravno	– naturally, of course
zar će ići i baka?	– will Grandmother really go too?
u košari	– in the basket
to će biti pravi piknik	– it will be a real picnic

Grammatical explanation

1. Future Tense

Affirmative

Singular		Singular
ja ću biti	bit ću	I shall (will) be
ti ćeš biti	bit ćeš	you will be
on će biti	bit će	he will be
ona će biti	bit će	she will be
ono će biti	bit će	it will be

Plural		Plural
mi ćemo biti	bit ćemo	we shall (will) be
vi ćete biti	bit ćete	you will be
oni će biti	bit će	they will be

The Future Tense is formed with the short form of the verb *htjeti* and the infinitive of the verb concerned e.g.

> Ti ćeš raditi.   You will work.

Since the auxiliary verb already indicates person and number, any noun or pronoun used as a subject may be omitted e.g.

> Radit ćeš.   You will work.

If the infinitive precedes the auxiliary, the final *-i* of any *-ti* infinitive is omitted. So we say *Ja ću raditi* (I will work) and *Radit ću* (I will work).

Interrogative

Singular		Singular
hoću li (ja) biti	da li ću (ja) biti	shall (will) I be
hoćeš li (ti) biti	da li ćeš (ti) biti	will you be
hoće li (on) biti	da li će (on) biti	will he be
hoće li (ona) biti	da li će (ona) biti	will she be
hoće li (ono) biti	da li će (ono) biti	will it be
Plural		**Plural**
hoćemo li (mi) biti	da li ćemo (mi) biti	shall (will) we be
hoćete li (vi) biti	da li ćete (vi) biti	will you be
hoće li (oni) biti	da li će (oni) biti	will they be

The interrogative form of the Future Tense is formed with the interrogative longer forms of the verb *htjeti*, followed immediately by *li*, and the infinitive of the verb concerned. In this case the interrogative auxiliary begins the sentence e.g.

Hoćeš li raditi?	Will you work?
Gdje će se održati piknik?	Where will the picnic take place?

Negative

Singular		Singular
ja neću biti	neću biti	I shall (will) not be
ti nećeš biti	nećeš biti	you will not be
on neće biti	neće biti	he will not be
ona neće biti	neće biti	she will not be
ono neće biti	neće biti	it will not be
Plural		**Plural**
mi nećemo biti	nećemo biti	we shall (will) not be
vi nećete biti	nećete biti	you will not be
oni neće biti	neće biti	they will not be

The negative form of the Future Tense is formed with the negative form of the verb *htjeti* and the infinitive of the verb concerned e.g.

Ti nećeš raditi.	You will not work.
Nećeš raditi.	You will not work.

2. The interrogative conjunction *zar*

The interrogative conjunction *zar* is an emphatic form of the interrogative. It expresses surprise and is placed at the beginning of the sentence e.g.

Zar Samoborec još vozi?	– Does the Samoborec train still run?
Zar je on kod kuće?	– Is he really at home?
Zar će ići i baka?	– Will grandmother really go too?

3. Prepositions (continued)

Preposition *za* (for, behind)

The preposition *za* is used with the Genitive, Accusative and Prepositional cases:

za with the Genitive:

Tko će kuhati objed i večeru za vrijeme piknika?	Who will cook lunch and dinner during the picnic?

za with the Accusative:

Što imamo za doručak?	What have we got for breakfast?
Ženo, što imamo za objed?	Dear, what have we got for lunch?
Za objed je pileća juha, pohani pilići, kolač i voće.	For lunch we have got chicken soup, deep-fried spring-chicken, cake and fruit.
Podno brijega nalazi se lijep bazen za plivanje.	There is a nice swimming-pool at the foot of the hill.
Što imate za večeru?	What have you got for dinner?

za with the Instrumental:

Djeca se igraju u vrtu za kućom.	The children are playing in the garden behind the house.

Put into the Future Tense:

(I)

1. (Ja) radim. (Ja) ne radim. Radim li?
2. (Ti) pričaš. (Ti) ne pričaš. Pričaš li?
3. (On) čeka. (On) ne čeka. Čeka li?
4. (Mi) govorimo. (Mi) ne govorimo. Govorimo li?
5. (Oni) idu. (Oni) ne idu. Idu li?

Translate into Croatian:

(II)

1. Isn't she in the bank?
2. Aren't they at the seaside?
3. Is Antun really in the car?
4. Is this really all?
5. Are the gramophone records really so cheap?
6. Will he really be there?

(III)

1. What have we got for lunch?
2. I will buy a table-cloth for Mother.
3. The children are playing behind the house.
4. We have coffee and tea for breakfast.
5. She works for children.

(IV)

1. Her name is Jane.
2. Edward is dressing (himself) now.
3. Is the Emigrants' picnic held in Samobor?
4. The swimming-pool is situated at the foot of a hill.
5. I am in Dubrovnik. (Use *nalaziti se.*)
6. The children are playing in the garden.
7. John washes himself every day.
8. Industry is being developed in Samobor.

120

19. vjèžba (Devètnaesta vjèžba)

NA PÒVRATKU IZ KÍNA

John: Štò mìsliš o fîlmu?

Jòsip: Mìslim da je fîlm òdličan. Glàvni glúmac i glàvna glùmica dòbro glúme, a òsim tòga, u fîlmu ìma mnògo zanìmljivih stvári i lijépih mísli. Jèdnom rijéčju: òdličan fîlm. Nò, já sam gládan. Jèsi li tî gládan? Hòćeš li nèšto jèsti?

John: Dà, gládan sam.

Jòsip: Èvo restorána. Dòbar vèčer.

Kònobarica: Dòbar vèčer. Izvòlite jèlovnik.

Jòsip: Hvála. Johne, štò žèliš jèsti? Mòžemo narúčiti ćevàpčiće i ràžnjiće. Já ću ràžnjiće. Hòćeš li ćevàpčiće?

John: A štò su ćevàpčići.

Jòsip: Vìdjet ćeš – tó je nàše národno jèlo. Kào i ràžnjići. Mòlim vas pòrciju ćevàpčića i pòrciju ràžnjića.

Kònobarica: Štò žèlite pìti?

Jòsip: Pívo. Mòlim vas bòcu píva.

Kònobarica: Òdmah, mòlim.

John: Òvog tjèdna ìći ćemo na ìzlet u Hŕvatsko zàgorje. Svì iseljeníci ìći će nà taj ìzlet. Èvo kònobarice. Jèsu li tó ćevàpčići?

Jòsip: Dà, to su ćevàpčići sa sìrovim ìzrezanim lùkom. A òvo su ràžnjići. Dòbar ték, Johne!

John: Dòbar ték, Jòsipe! Ćevàpčići su ìzvrsni.

Jòsip: I ràžnjići. Àli nèmamo mnògo vrèmena. Ròditelji me čèkaju. Večèras ćemo putòvati u Zàgreb.

John: Hvála na vèčeri. Bíla je ìzvrsna. Do viđénja u Zàgrebu!

Jòsip: Do viđénja!

Words and phrases

devetnaesta (f.)	– nineteenth
povratak (m.)	– way back, return
na povratku	– on the way back
kino (n.)	– cinema, movie
iz kina	– from the cinema, from the movie
na povratku iz kina	– on the way back from the cinema
misliti (mislim)	– to think
film (m.)	– film
o filmu	– about the film
što misliš o filmu?	– what do you (thou) think about the film?
mislim da je film odličan	– I think that the film is excellent
glavni (m.), glavna (f.), glavno (n.)	– main
glumac (m.)	– actor
glumica (f.)	– actress
dobro	– well, good
glumiti (glumim)	– to act
osim toga	– besides
stvar (f.)	– thing, matter
misao (f.)	– thought
jednom riječju	– in a word; *riječju* is the Instrumental of the word *riječ*
nešto	– something
jesti (jedem)	– to eat
hoćeš li nešto jesti?	– would you (thou) like something to eat?; do you want something to eat?
konobarica (f.)	– waitress
jelovnik (m.)	– menu
izvolite jelovnik	– here is the menu; take the menu, please (literal translation)
jelo (n.)	– food, meal, dish
što želiš jesti?	– what would you (s.) like to eat?, what do you want to eat?
naručiti (naručim)	– to order
ćevapčići (pl.)	– ćevapčići; tiny rolls of ground meat broiled and served with chopped raw onions
ražnjići (pl.)	– ražnjići; bits of pork broiled on a skewer and served with chopped raw onions
možemo naručiti ćevapčiće i ražnjiće	– we can order ćevapčići and ražnjići
to je naše narodno jelo	– this is our national dish

122

porcija (f.)	– portion, helping
molim vas porciju ćevapčića	– a portion of ćevapčići, please
što želite piti?	– what would you like to drink, what do you want to drink?
pivo (n.)	– beer
boca (f.)	– bottle
molim vas bocu piva	– a bottle of beer, please
tjedan (m.)	– week
ovog tjedna	– this week
izlet (m.)	– outing, excursion, trip
ići ćemo na izlet u Hrvatsko zagorje	– we are going for an excursion to the Croatian Zagorye
sirov (m.), sirova, (f.), sirovo (n.)	– raw
izrezan (m.), izrezana (f.), izrezano (n.)	– chopped, cut
luk (m.)	– onions
izvrstan (m.), izvrsna (f.), izvrsno (n.)	– excellent, extraordinarily good, delicious
me	– me; *me* is the Accusative of the personal pronoun *ja*
roditelji me čekaju	– (my) parents are waiting for me
večeras	– this evening
hvala na večeri	– thank you for the dinner
bila je izvrsna	– it (dinner) was excellent

123

Conversational expressions

na povratku iz kina	– on the way back from the cinema
što misliš o filmu?	– what do thou (you) think about the film?
osim toga	– besides
jednom riječju	– in a word
hoćeš li nešto jesti?	– would thou (you) like something to eat?
izvolite jelovnik	– here is the menu; take the menu, please (literal translation)
što želiš jesti?	– what would you (s.) like to eat?
molim vas porciju ćevapčića	– a portion of ćevapčići, please
što želite piti?	– what would you like to drink?
molim vas bocu piva	– a bottle of beer, please

ovog tjedna   – this week
hvala na večeri   – thank you for the dinner

Grammatical explanation

1. Declension of feminine nouns (continued)

Some feminine nouns end in a consonant and some in -o e.g. stvar (thing, matter), radost (happiness), ljubav (love), misao (thought). Their declension is very simple. In nouns like *misao* the final sound -o is derived from -l. The base (stem) of such nouns is the same as the Nominative singular except that the final -o reverts to -l and the preceding sound disappears. So the stem of *misao* is *misl*-. Note that the preceding sound is mobile -a. The Instrumental has two endings: -ju and -i; sometimes one ending is used, sometimes the other.

The Instrumental of *misao* is *mišlju;* from *misl-ju* we get *mislju;* and from *mislju* we get *mišlju* according to the rule that s in front of *lj* is replaced by *š*.

Singular

N. stvar	N. misao
G. stvar-i	G. misl-i
D. stvar-i	D. misl-i
A. stvar	A. misao
V. stvar-i	V. misl-i
P. stvar-i	P. misl-i
I. stvar-ju	I. mišlju
stvar-i	misl-i

Plural

N. stvar-i	N. misl-i
G. stvar-i	G. misl-i
D. stvar-ima	D. misl-ima
A. stvar-i	A. misl-i
V. stvar-i	V. misl-i
P. stvar-ima	P. misl-ima
I. stvar-ima	I. misl-ima

2. Prepositions (continued)

Preposition *iz* (from)

The preposition *iz* is used with the Genitive:

iz with the Genitive:

Moji prijatelji iz Njemačke vole kontinentalni doručak.	My friends from Germany like continental breakfast.
To su seljak i seljanka iz okolice Zagreba.	Those are a peasant and a peasant-woman from the neighbourhood of Zagreb.
Ovo su ploče s pjesmama iz Slavonije i Dalmacije.	These are records of songs from Slavonia and Dalmatia.
Moj je djed iz Dalmacije, a moja baka iz okolice Samobora.	My grandfather comes from Dalmatia and my grandmother from the surroundings of Samobor.
Ja sam iz Amerike.	I come from America.

Exercises

Translate into Croatian:
(I)
1. Are you from America?
2. My grandmother is not from Dalmatia, she is from the surroundings of Zagreb.
3. Do you like songs from Croatia?
4. Have you got cherries from Dalmatia?
5. Do you want wine or liqueur from Dalmatia?

The Future Tense of the sentences from Lesson 18:
(I)
1. Ja ću raditi. (Radit ću.) Ja neću raditi. (Neću raditi.) Hoću li raditi? (Da li ću raditi?)
2. Ti ćeš pričati (Pričat ćeš.) Ti nećeš pričati. (Nećeš pričati.) Hoćeš li pričati? (Da li ćeš pričati?)
3. On će čekati. (Čekat će.) On neće čekati. (Neće čekati.) Hoće li čekati? (Da li će čekati?)
4. Mi ćemo govoriti. (Govorit ćemo.) Mi nećemo govoriti. (Nećemo govoriti.) Hoćemo li govoriti? (Da li ćemo govoriti?)
5. Oni će ići. (Ići će.) Oni neće ići. (Neće ići.) Hoće li oni ići? (Da li će ići?)

Translation from Lesson 18:

(II)
1. Zar ona nije u banci?
2. Zar oni nisu na moru?
3. Zar je Antun u automobilu?
4. Zar je to sve?
5. Zar su gramofonske ploče tako jeftine?
6. Zar će on zaista tamo biti?

(III)
1. Što je za objed?
2. Kupit ću stolnjak za majku.
3. Djeca se igraju za kućom.
4. Za doručak imamo kavu i čaj.
5. Ona radi za djecu.

(IV)
1. Ona se zove Jane.
2. Edward se sad oblači.
3. Održava li se iseljenički piknik u Samoboru?
4. Plivaći se bazen nalazi podno brijega.
5. Nalazim se u Dubrovniku.
6. Djeca se igraju u vrtu.
7. John se pere svaki dan.
8. U Samoboru se razvija industrija.

20. vježba (Dvádeseta vježba)

ŠÉTNJA SÁMOBOROM

Edward: *Bíli smo* čàk do stároga gráda. *Razglédali smo* stári grad Sàmobor.

Báka: Tkò *je bìo* na stárom grádu? *Jèsi li ti bìo* na stárom grádu?

Edward: Dà, *já sam bìo* na stárom grádu, John *je bìo* na stárom grádu i Jane *je bíla* na stárom grádu.

Báka: *Jésu li* i màma i tàta *bíli* na stárom grádu.

Edward: Dà, i òni *su bíli* na stárom grádu. Tàmo *smo vìdjeli* mnògo tùrista. Òni *su razglédali* stári grad. Bàko, stári grad pòtječe iz trínaestog stòljeća.

Báka: Dà, nàš stári grad vr̀lo je stàr. U Hr̀vatskoj ima mnògo stárih gràdova.

Jane: *Pòsjetili smo* i Lìvadićev dvórac. Lìvadić je hr̀vatski kompòzitor; žìvio je u Sàmoboru. Njègova kùća sàda je mùzej gráda Sàmobora.

Báka: U Sàmoboru i òko Sàmobora ima mnògo stárih dvóraca.

Edward: *Bíli smo* i u pàrku Ànindol. *Vìdjeli smo* mnògo zanìmljivih stvári.

Báka: A jèste li gládni?

Edward: Dà, gládni smo.

Báka: Vèčera je gòtova. A èvo i màme, tàte i Johna.

The Perfect Tense is printed in italics.

127

Words and phrases

dvadeseta (f.)	– twentieth
šetnja (f.)	– walk
šetnja Samoborom	– a walk around Samobor
čak	– even
bili smo čak do staroga grada	– we have even been as far as the old castle; we have been right up to the old castle
tko	– who
razgledali smo stari grad	– we were having a look around the old castle

tamo	– there
potjecati (potječem)	– to date from, to date back to; to originate
stari grad potječe iz trinaestog stoljeća	– the old town dates from the thirteenth century
dvorac (m.)	– castle
Livadićev dvorac	– Livadić's castle
kompozitor (m.)	– composer
muzej (m.)	– museum
oko	– around, about, round about
oko Samobora	– around Samobor
Anindol (m.)	– Anindol, the name of a park in Samobor
vidjeli smo mnogo zanimljivih stvari	– we have seen a lot of interesting things
jeste li gladni?	– are you hungry?

Conversational expressions

šetnja Samoborom	– a walk around Samobor
bili smo čak do staroga grada	– we have even been as far as the old castle
razgledali smo stari grad	– we were having a look around the old castle
oko Samobora	– around Samobor
jeste li gladni?	– are you hungry?

Grammatical explanation

---

1. The Perfect Tense of the verb *biti* (to be)

infinitive – biti
infinitive stem – bi-
past participle – bi-o, bi-la, bi-lo (s.); bi-li, bi-le, bi-la (pl.)

Affirmative

Singular		Singular	
ja sam bio	bio sam	I was	I have been
ti si bio	bio si	you were	you have been
on je bio	bio je	he was	he has been
ona je bila	bila je	she was	she has been
ono je bilo	bilo je	it was	it has been

Plural		Plural	
mi smo bili	bili smo	we were	we have been
vi ste bili	bili ste	you were	you have been
oni su bili (m.)	bili su	they were	they (m.) have been
one su bile (f.)	bile su	they were	they (f.) have been
ona su bila (n.)	bila su	they were	they (m.) have been

Interrogative

Singular		Singular	
jesam li (ja) bio?	da li sam (ja) bio?	was I?	have I been?
jesi li (ti) bio?	da li si (ti) bio?	were you?	have you been?
je li (on) bio?	da li je (on) bio?	was he?	has he been?
je li (ona) bila?	da li je (ona) bila?	was she?	has she been?
je li (ono) bilo?	da li je (ono) bilo?	was it?	has it been?
Plural		**Plural**	
jesmo li (mi) bili?	da li smo (mi) bili?	were we?	have we been?
jeste li (vi) bili?	da li ste (vi) bili?	were you?	have you been?
jesu li (oni) bili?	da li su (oni) bili?	were they?	have they been?

129

Negative

Singular		Singular	
ja nisam bio	nisam bio	I have not been	I was not
ti nisi bio	nisi bio	you have not been	you were not
on nije bio	nije bio	he has not been	he was not
ona nije bila	nije bila	she has not been	she was not
ono nije bilo	nije bilo	it has not been	it was not
Plural		**Plural**	
mi nismo bili	nismo bili	we have not been	we were not
vi niste bili	niste bili	you have not been	you were not
oni nisu bili	nisu bili	they have not been	they were not

The Perfect Tense is formed from the Short Form of the Present Tense of the verb *biti* (sam, si, je, smo, ste, su) and the active past participle of the verb concerned e.g.

Ja sam bio u kinu, or I have been to the cinema.
Bio sam u kinu.
Ja sam posjetio Samobor, or I have visited Samobor.
Posjetio sam Samobor.

The personal pronoun (ja, ti on, etc.) may be omitted (Bio sam u kinu) but may be included if the speaker wishes to emphasize the person performing the action (Ja sam bio u kinu).

2. The active past participle

The active past participle is formed by adding participial endings to the infinitive base. If the infinitive base ends in a vowel, the following endigs are added: -o, -la, -lo for the singular, and -li, -le, -la for the plural: if the infinitive base ends in a consonant, the following endings are added: -ao, -la, -lo for the singular, and -li, -le, -la for the plural.

Singular	Masculine -o, -ao	Feminine -la	Neuter -lo
Plural	-li	-le	-la

So the active past participle of the verb *biti* (to be) is as follows: bi-o, bi*la*, bi-*li*, bi-*le*, bi-*la*, and of the verb *moći* (to be able): mog-*ao*, mog-*la*, mog-*lo;* mog-*li*, mog-*le*, mog-*la*. (The infinitive base of the verb moći is *mog-*.)

The active past participle has many of the characteristics of the definite adjective. It agrees with its subject in gender (masculine, feminine or neuter) and number (singular, plural) and changes its endings according to its gender.

Singular

Ja *sam bio* u Samoboru. I was in Samobor.
Ti *si bio* u Samoboru. You were in Samobor.
John *je bio* u Samoboru. John was in Samobor.
Jane *je bila* u Samoboru. Jane was in Samobor.
Vrijeme *je bilo* lijepo. The weather was fine.

Mi *smo bili* u Samoboru.	We were in Samobor.
Vi *ste bili* u Samoboru.	You were in Samobor.
Oni *su bili* u Samoboru.	They were in Samobor.
One *su bile* u Samoboru.	They were in Samobor. (Feminine plural)
Ona *su bila* u Samoboru.	They were in Samobor. (Neuter plural)

3. The pronouns *one* (they) and *ona* (they)

The pronoun *one* (they) stands for the third person plural feminine:

Žene pričaju.	*One* pričaju.
Women are talking.	They are talking.
Djevojke su bile u Samoboru.	*One* su bile u Samoboru.
The girls were in Samobor.	They were in Samobor.

The pronoun *ona* (they) stands for the third person plural neuter:

Djeca vole mlijeko	*Ona* vole mlijeko.
Children like milk.	They like milk.
Djeca su bila u Samoboru.	*Ona* su bila u Samoboru.
The children were in Samobor.	They were in Samobor.

4. The infinitive base

The endings of the infinitive are *-ti* or *-ći* e.g. bi-ti (to be), mo-ći (to be able).

The infinitive base of the verbs ending in *-ti* is formed by dropping the *-ti* of the infinitive. So the infinitive base of the verb radi-ti is *radi-*.

Some verbs ending in *-ći* originally have the infinitive ending in *-ti*. Thus the infinitive of the verb *mo-ći* (to be able) is *mog-ti* but the sounds *-gt* are changed into the sound *-ć* and so we have *moći*. The active past participle of the verb *moći* (to be able) is as follows: mog-ao, mog-la, mog-lo (s.) – mog-li, mog-le, mog-la (pl.).

The infinitive base of verbs ending in *-ći* may end in *-k, -g, -d,* or *-h*. The real infinitive base of verbs ending in *-ći* may be found by dropping the ending *-u* in the third person plural of the Present Tense. The third person plural of the Present Tense of the verb

131

moći (to be able) is *mog-u;* by dropping the ending *-u* we get the infinitive base of the verb *moći: mog-*.

It is not always easy to be sure of the infinitive base of verbs ending in *-ći*. The active past participle of such verbs should therefore be learned.

5. Verbs with irregular participles

There is a group of verbs which have irregular active past participles. Two of such verbs are *vidjeti* (to see) and *živjeti* (to live). Their active past participles are as follows:

vidjeti: vidio, vidjela, vidjelo (s.) – vidjeli, vidjele, vidjela (pl.)
živjeti: živio, živjela, živjelo (s.) – živjeli, živjele, živjela (pl.)

6. Prepositions (continued)

Preposition *do* (to, as far as, till, until)

The preposition *do* is used with the Genitive:

do with the Genitive:

Na putu do »Matice«.	On the way to »Matica«.
A uskoro putujem od Zagreba do Splita.	And very soon I will be travelling from Zagreb to Split.
Bili smo čak do staroga samoborskog grada.	We have even been as far as the old Samobor castle.
Radili su od jutra do večera.	They worked from morning till evening.
(večera is the Genitive of the noun *veče)*	

Exercises

Put into the interrogative:
(I)
1. Bio sam u Anindolu. Djeca su također bila u Anindolu.
2. Vlak je vozio planinare. Čekali su u redu.

Put into the negative:

(II)
1. Igrao se u parku. Kuhala je objéd.
2. Platio sam račun. Govorili smo o objedu.
3. Bio sam u Americi. Vidjeli ste Ameriku.
4. Putovali su u Trogir. Živjele su u Slavoniji.

Put into the Perfect Tense:

(III)
1. Ja sam u Samoboru. On je u Zagrebu.
2. Ona živi u Splitu. Mi živimo u Dubrovniku.
3. Vidim prijatelja. Vidimo prostrt stol.
4. Oni razgledaju vrt. On radi u Zadru.
5. Ona ne može hodati. On može pjevati.

Translate into Croatian:

(IV)
1. On the way to the old castle we saw a lot of tourists.
2. She is travelling from Samobor to Zagreb.
3. We have even gone as far as the old Samobor castle.
4. He travelled from morning till evening.
5. She played from morning till evening.

(V)
1. Do you think that the film is good? Yes, I do.
2. Does she think that the film is interesting? No, she does not.
3. Does he act well? Yes, he acts well.
4. Is the film excellent? Yes, the film is excellent.
5. Are you hungry? Yes, I am hungry.
6. Do you want something to eat? Yes, I want something to eat. (Use the verb *htjeti.*)

Translation from Lesson 19:

(I)
1. Jeste li vi iz Amerike?
2. Moja baka nije iz Dalmacije, ona je iz okolice Zagreba.
3. Volite li pjesme iz Hrvatske?
4. Imate li trešnje iz Dalmacije?
5. Želite li vino ili liker iz Dalmacije?

21. vježba (Dvádeset pŕva vježba)

ÌZLET U HŔVATSKO ZÀGORJE

Mary: *Bíli smo* na ìzletu u Hŕvatskom zàgorju. *Pòsjetili smo* mnòga mjèsta: Stùbicu, Stùbičke Tòplice, Tùheljske Tòplice, Zelénjak i Kùmrovec. *Bìo je* to krásan ìzlet.

John: U Zelenjáku *je* Àntun Mihánović *ìspjevao* hŕvatsku hímnu. Màksim Górki, glasòviti rùski písac, *rèkao je* da je hŕvatska hìmna nájljepša hímna na svijétu. Tájnik »Màtice« *pričao je* o Hrvátima i o hŕvatskoj pòvijesti, a zàtim *smo pjèvali* hŕvatsku hímnu. Tàta i màma *su plàkali.*

Báka: *Bíli su* srètni što su òpet u stárom kráju. *Òbjedovali smo* u restoránu u Tùheljskim Tòplicama. Tàmo *je* nèkoć *žívio* Àntun Mihánović. *Jèli smo* òdlična zágorska jèla i *pili smo* zágorsko víno.

Jane: *Vidjeli smo* stáre plèmićke kùće – kúrije. U Hŕvatskom zàgorju nàlazi se vèlik brój kúrija.

Mary: *Vòzili smo se* nòvom cèstom kòja se zòve Zágorska magistrála. Sv̀ *su rèkli* da je Hŕvatsko zágorje prèkrasan kráj.

Edward: I svȉ će òpet pòsjetiti táj kráj. I mȉ ćemo òpet pòsjetiti Hŕvatsko zàgorje.

Joseph: Tàko je. I nàšim prìjateljima u Amèrici rèći ćemo da i òni móraju pòsjetiti Hŕvatsko zàgorje.

The Perfect Tense is printed in italics.

Words and phrases

dvadeset prva (f.)	– the twenty first
izlet u Hrvatsko za- gorje	– an excursion to Croatian Zagorye
bili smo na izletu	– we have been on an excursion
mjesto (n.)	– place
Stubica (f.)	– a small place in Croatian Zagorye where the famous peasants rebellion took place (1573)

toplice (pl.)	– spa
Stubičke toplice (pl.)	– the spa of Stubičke toplice; another well-known spa in Croatian Zagorye
Tuheljske toplice (pl.)	– the spa of Tuheljske toplice; another well-known spa in Croatian Zagorye
Zelenjak (m.)	– Zelenjak; the place in the woods, now a park, where Antun Mihanović, Croatian poet, wrote a poem which later became the Croatian anthem
ispjevati (ispjevam)	– to write a poem
himna (f.)	– anthem, hymn
ruski, a, o	– Russian
pisac (m.)	– writer
reći (rečem)	– to say, to tell
najljepši, a, e	– the most beautiful
svijet (m.)	– world
na svijetu	– in the world
rekao je da je hrvatska himna najljepša himna na svijetu	– he said that the Croatian anthem is the most beautiful anthem in the world
povijest (f.)	– history
zatim	– afterwards, then
pjevati (pjevam)	– to sing
plakati (plačem)	– to cry
sretan, a, o	– happy
što	– that
opet	– again
objedovati (objedujem)	– to have lunch
objedovali smo	– we had lunch
nekoć	– once, once upon a time
jesti (jedem)	– to eat
zagorski, a, o	– from Zagorye
jeli smo	– we ate
pili smo	– we drank
plemićki, a, o	– noble, aristocratic
kurija (f.)	– manor house; old aristocratic house; country house of gentry
nalazi se	– there is
broj (m.)	– number
nalazi se velik broj	– there is a large number
voziti se (vozim se)	– to drive or be driven (in a car, bus, etc.)
vozili smo se Zagorskom magistralom	– we drove along the Zagorye motorway

prekrasan, a, o	– wonderful, exceptionally beautiful, grand, georgeous
tako	– so
tako je	– that's right, this is so (literal translation)
morati (moram)	– must

Conversational expressions

bili smo na izletu	– we have been on an excursion
na svijetu	– in the world
jeli smo	– we ate
pili smo	– we drank
objedovali smo	– we had lunch
poslije podne	– in the afternoon
tako je	– that's right

Grammatical explanation

---

1. The use of the Perfect Tense

In Croatian there are several tenses used to express a past action but the Perfect Tense is practically the only past tense used in the spoken language. The Perfect Tense can therefore be said to correspond to all the past tenses in English.

The Perfect Tense can be used for any action that has been completed in the past. It may be translated into English either with the Preterite (The Past Tense) or the Perfect Tense (the Present Perfect) e.g.

Jučer sam bio u Samoboru. Yesterday I was in Samobor.
Vidio sam odličan film. I have seen an excellent film.

2. The active past participles of the verbs

reći (to say) **and** *jesti* (to eat)

The third person plural of the verb *reći* is rek-*u*, the active past participle is: rek-ao, rek-la, rek-lo (s) – rek-li, rek-le, rek-la (pl.).

The third person plural of the verb *jesti* is jed-*u*; as the sound -*d* is dropped in the active past participle, we get: je-o, je-la, je-lo (s.) – je-li, je-le, je-la (pl.).

The interrogative form of the sentences from Lesson 20:
(I)
1. Jesam li bio u Anindolu? (Da li sam bio u Anindolu?) Jesu li djeca također bila u Anindolu? (Da li su djeca također bila u Anindolu?)
2. Je li vlak vozio planinare? (Da li je vlak vozio planinare?) Jesu li čekali u redu? (Da li su čekali u redu?)

The negative form of the sentences from Lesson 20:
(II)
1. Nije se igrao u parku. Nije kuhala objed.
2. Nisam platio račun. Nismo govorili o objedu.
3. Nisam bio u Americi. Niste vidjeli Ameriku.
4. Nisu putovali u Trogir. Nisu živjele u Slavoniji.

The Perfect Tense of the sentences from Lesson 20:
(III)
1. Ja sam bio u Samoboru. On je bio u Zagrebu.
2. Ona je živjela u Splitu. Mi smo živjeli u Dubrovniku.
3. Vidio sam prijatelja. Vidjeli smo prostrt stol
4. Oni su razgledali vrt. Oni su radili u Zadru.
5. Ona nije mogla hodati. On nije mogao pjevati.

Translation from Lesson 20:
(IV)
1. Na putu do starog grada vidjeli smo mnogo turista.
2. Ona putuje od Samobora do Zagreba.
3. Bili smo čak do staroga samoborskog grada.
4. Putovao je od jutra do večera.
5. Igrala se od jutra do večera.

(V)
1. Misliš li da je film dobar? Da, mislim.
2. Misli li ona da je film zanimljiv? Ne, ne misli.
3. Glumi li on dobro? Da, on glumi dobro.
4. Je li film odličan? Da, film je odličan.
5. Jeste li gladni? Da, ja sam gladan.
6. Hoćete li nešto jesti? Da, hoću nešto jesti.

137

22. vjȅžba (Dvádeset drȕga vjȅžba)

NA BLȂGAJNI KȀZALIŠTA

Ȁna: Jȅsi li rȅkao gospȍdinu Smithu da sȕtra ȉdemo u kȁzalište?

Stjȅpan: Dȁ, rȅkao sam *mu*. A jȅsi li tó rȅkla gȍspođi Smith?

Ȁna: Nȅ, nísam *joj* rȅkla. Ȁli *joj* je sigurno rȅkao njézin múž. Ȇvo Jȍsipa. *Ón* će kúpiti kárte za kȁzalište.

Ȉvan: Táta, hȍćemo li kúpiti kárte za Jane i za Edwarda?

Stjȅpan: Náravno, i zȁ *nju* i zȁ *njega*. I *òni* žȅle vȉdjeti nȁše kȁzalište. A kúpit ćemo kárte i zȁ *tebe*, za Ȁntuna i za Mȁriju. Ȇvo i Johna, Edwarda i Jane.

Jȍsip: Ȉdemo. Ȉdemo àutobusom. Do viđénja.

Svȉ: Do viđénja.

Jane: Gdjȅ je Hȑvatsko národno kȁzalište?

Ȉvan: Mȋ smo prȅd *njim*. Ȍvo je blȁgajna. Móramo póći ȕ red.

Jane: Tkȍ je òna djevòjčica? Štȍ *òna* óvdje rádi?

Djevòjčica: Já kȕpujem kártu zȁ *sebe*. Já vòlim ȉći u òperu.

Jȍsip: Ȉmate li kàrata za »Nȉkolu Šȕbića Zrȉnskog«?

Blȁgajnica: Ȉmamo. Kolȉko žȅlite?

Jȍsip: Jedànaest. Jedànaest kàrata u parkétu.

Blȁgajnica: Ȇvo, izvȍlite. Kárte kȍštaju òsam tȉsuća dȉnara.

Jȍsip: Hvála. A gdjé je Jane. Nȅ vidim *je*. A gdjȅ je Edward? Nȅ vidim ga.

Ȉvan: Ȇvo Edwarda. I Jane je s *njim*.

Edward: Razglédali smo kȁzalište. Vȑlo *nam* se svȉda. Johne, svȋda li se kȁzalište i *tȅbi?*

John: Dȁ, svȋda mi se. Vȑlo mi se svȋda.

Jȍsip: *Mȅni se òno* takóđer svȋda, a i Ȉvanu. *Nȁma se* òno vȑlo svȋda, a i *vȁma.*

John: Sȕtra ćemo *ga* vȉdjeti ȉznutra. Štȍ će rȅći màma i tȁta? Hȍće li se kȁzalište svȉdjeti i *njȉma?*

The personal pronouns and the reflexive pronoun *sebe* are printed in italics.

138

Words and phrases

dvadeset druga (f.)	– the twenty second
blagajna (f.)	– box-office
na blagajni	– at the box-office
kazalište (n.)	– theatre
na blagajni kazališta	– at the theatre box-office
sutra (n.)	– tomorrow
rekao sam mu	– I have told him
nisam joj rekla	– I have not told her
kupiti (kupim)	– to buy
karta (f.)	– ticket
hoćemo li kupiti karte	– shall we buy tickets?
i za nju i za njega	– both for him and for her; the conjunction *i* strengthens the idea that the tickets will be bought both for Jane and Edward
gdje je?	– where is?
Hrvatsko narodno kazalište	– Croatian National Theatre
mi smo pred njim	– we are in front of it
moramo u red	– we must queue, we must stand in the line
ja kupujem kartu za sebe	– I am buying a ticket for myself
ja volim ići u operu	– I like to go to the opera
imate li karata?	– have you got tickets?
blagajnica (f.)	– woman-cashier
Nikola Šubić Zrinski	– Nikola Šubić Zrinski, the Croatian national hero who fought the Turks; also the title of the Croatian national opera
koliko želite?	– how many (tickets) do you want?
parket (m.)	– stalls
u parketu	– in the stalls
evo, izvolite	– here they are
karte koštaju osam tisuća dinara	– the tickets cost eight thousand dinars
ne vidim je	– I do not see her
ne vidim ga	– I do not see him
i Jane je s njim	– Jane is with him too
sviđati se (sviđam se)	– to please, to appeal to
vrlo nam se sviđa	– we like it very much (*it* stands for the theatre); it appeals to us very much

139

sviđa li se kazalište i tebi?	– do you also like the theatre?
sviđa mi se	– I like it
meni se ono također sviđa	– I like it too; *ono* (it) stands for the *theatre*
nama se ono vrlo sviđa, a i vama	– we like it very much, and so do you
iznutra	– inside
sutra ćemo ga vidjeti iznutra	– tomorrow we shall see it from the inside
hoće li se kazalište svidjeti i njima	– will they also like the theatre

Conversational expressions

na blagajni kazališta	– at the theatre box-office
gdje je?	– where is?
imate li karata?	– have you got tickets?
koliko želite?	– how many do you want?
u parketu	– in the stalls
evo, izvolite	– here you are
vrlo nam se sviđa	– we like it very much
sviđa mi se	– I like it

Grammatical explanation

1. Personal pronouns and the reflexive pronoun
sebe or *se*

The personal pronouns are:
singular:

   ja (I), *ti* (thou, you), *on* (he), *ona* (she), *ono* (it)
plural:

   mi (we), *vi* (you), *oni* (they m.), *one* (they f.), *ona* (they n.)
The reflexsive pronoun is: *sebe* or *se* (self).

2. The declension of personal pronouns and of the pronoun *sebe* or *se*

Singular

N. ja	N. ti	N. _____
G. mene, *me*	G. tebe, *te*	G. sebe, *se*
D. meni, *mi*	D. tebi, *ti*	D. sebi, *si*
A. mene, *me*	A. tebe, *te*	A. sebe, *se*
V. _____	V. ti	V. _____
P. meni	P. tebi	P. sebi
I. mnom(e)	I. tobom	I. sobom
N. on	N. ona	N. ono
G. njega, *ga*	G. nje	G. njega, *ga*
D. njemu, *mu*	D. njoj, *joj*	D. njemu, *mu*
A. njega, *ga, nj*	A. nju, *ju, je*	A. njega, *ga, nj*
V. _____	V. _____	V. _____
P. njemu	P. njoj	P. njemu
I. njim(e)	I. njom(e)	I. njim(e)

Plural

141

N. mi	N. vi	N. oni, one, ona
G. nas	G. vas	G. njih, *ih*
D. nama, *nam*	D. vama, *vam*	D. njima, *im*
A. nâs, *nas*	A. vâs, *vas*	A. njih, *ih*
V. _____	V. _____	V. _____
P. nama	P. vama	P. njima
I. nama	I. vama	I. njima

The unstressed forms of the personal pronouns are printed in italics.

The declension of the personal pronouns *ja* (I), *ti* (thou), *mi* (we), *vi* (you) and of the reflexive pronoun *sebe* is similar to the declension of feminine nouns ending in-*a* (žena).

The declension of the personal pronouns *on* (he), *ona* (she), *ono* (it), *oni* (they m.), *one* (they f.), *ona* (they n.) is similar to the declension of definite adjectives.

Longer and shorter endings appear in the Instrumental singular of some personal pronouns (ja, on, ona, ono): *mnome* and *mnom*, *njime* and *njim*, *njome* and *njom*, *njime* and *njim*. The shorter forms are used with prepositions e.g.

I Jane je s njim.   Jane is also with him.

Certain cases of personal pronouns (Genitive, Dative and Accusative) have both a stressed (long) and an unstressed (short) form.

The unstressed (short) forms of the personal pronouns, also called enclitics, are unaccented words and never begin a sentence e.g.

Ja sam *mu* to rekao.   I have told him that.
Nisam *joj* to rekla.   I have not told her that.

The stressed (long) forms of the personal pronouns are used:

(I) for emphasis and contrast e.g.

Rekao sam to *njemu*   I have told that to him
  a ne *njoj*.   but not to her.

(II) with propositions e.g.

Imam karte za *nju*   I have got the tickets
  i za *njega*.   for her and for him.

(III) at the beginning of a sentence e.g.

Meni se ona svida.   She appeals to me.

The difference between the stressed form of the pronouns *mi* (we) and *vi* (you) in the Genitive and the Accusative (nas, vas), and the unstressed forms of the same pronouns (nâs, vâs) is only in the accent.

There is a difference in meaning between the stressed and the unstressed form of the personal pronouns. The sentences *On me voli* (He likes me) and *On voli mene* (He likes me) have not the same meaning because in the second sentence the personal pronoun is specially emphasized (On voli *mene* – He likes *me).*

3. The Accusative singular of the personal pronouns
on and *ona*

The unstressed (short) forms of the Accusative singular of the pronoun *on* are *ga* and *nj*. The form *ga* is used most often e.g.

Vidio sam *ga.*   I saw him.

The form *nj* is used after a preposition. In that case the preposition is stressed e.g.

Radio sam za *nj*. I worked for him.

The unstressed (short) forms of the Accusative singular of the pronoun *ona* are *ju* and *je*. The form *je* is used most often e.g.

Vidio sam *je*. I saw her.

The form *ju* is used only after of before the form *je* (the third person singular of the verb *biti*) to avoid ambiguity e.g.

Nije *ju* vidio. He did not see her.
On *ju* je vidio. He saw her.
Tko *ju* je vidio? Who saw her?

4. Prepositions (continued)

The preposition *nasuprot* (opposite, facing)

The preposition *nasuprot* is used with the Dative. Many Croatian--speaking people make the mistake of using the Genitive instead of the Dative with the preposition *nasuprot*.

nasuprot with the Dative:

Nasuprot spomeniku je kolodvor.

The railway-station is opposite the monument.

Exercises

Translate into Croatian:
(I)
1. He bought the tickets for himself and not for him.
2. He told me that. She told her that.
3. He saw me in the theatre. She saw him in the line.
4. We talked about you and about them.
5. Would you like to eat with us? (Use the Present Tense of *htjeti*.)

(II)
1. My house is opposite the hotel.
2. Ann was siting opposite Stjepan.

Replace the personal names with pronouns: (III)

1. On će kupiti karte za Jane i za Edwarda.
2. Rekao sam to i Johnu i Mariji.
3. Jane voli Johna i Mariju.
4. Oni su razgovarali o Johnu i o Jane.
5. U kazalište ću ići s Marijom i s Edwardom.

23. vježba (Dvádeset trèća vježba)

NA ÒPERI U HR̀VATSKOM NÁRODNOM KÀZALIŠTU

Joseph: A gdjè je Jane? Tkò ju je vìdio?

Edward: Èno je tàmo! Tàmo su gospòdin i gòspođa Kòvačić, pa Jòsip, Ìvan i Màrija. Jane je s njìma.

Mary: Dòbar vèčer. Kàko ste?

Àna: Dòbar vèčer. Vr̀lo dòbro. Djèco, gdjè ste? Prȅdstava pòčinje za pét minúta.

John: Kàzalište je ìznutra dívno. U Amèrici su kàzališta nòva, a òvo je stáro.

Àna: Dà, zgràda Hr̀vatskog národnog kàzališta je stára. To je bàrokna zgràda.

Jane: Tkò je Nìkola Šùbić Zrȉnski?

Stjèpan: Ón je hr̀vatski jùnak kòji se bòrio pròtiv Tùraka. Kompòzitor Ìvan Zàjc komponírao je ò njemu òperu. To je hr̀vatska nàcionalna òpera »Nìkola Šùbić Zrȉnski«.

145

Àna: Na kráju òpere cijélo kàzalište pjèva sa Zrȉnskim. Večéras ùlogu Zrȉnskoga pjèva Vlàdimir Rùžđak.

Jane: Àli ón pjèva u Metropòliten òperi u New Yorku.

Àna: Dà, àli ón je iz Zágreba. Ón je nàš čòvjek.

Jane: A hòćete li i ví pjèvati? I gospòdin Kòvačić?

Àna: Dà, i mí i nàša djèca.

Jane? Tó će bìti prèkrasno. I já ću pjèvati.

Words and phrases

dvadeset treća (f.)	– the twenty third
opera (f.)	– opera
na operi u Hrvatskom narodnom kazalištu	– at the opera in the Croatian National Theatre
tko ju je vidio	– who has seen her
eno je tamo	– look, there she is
pa	– and
Jane je s njima	– Jane is with them
kako ste?	– how are you?

vrlo dobro	– very well
predstava (f.)	– performance, show
početi (počinjem)	– begin
minuta (f.)	– minute
za pet minuta	– in five minutes
predstava počinje za pet minuta	– the performance begins in five minutes
barokni, a, o	– baroque
barokna zgrada	– baroque building; a building built in baroque style
junak (m.)	– hero
boriti se (borim se)	– to fight
protiv	– against
Turci (pl.)	– Turks; *Turaka* is the Genitive of the noun *Turci*
koji se borio protiv Turaka	– who fought against the Turks
komponirati (komponiram)	– to compose
komponirao je o njemu operu	– composed an opera about him
kraj (m.)	– end
na kraju	– at the end
na kraju opere	– at the end of the opera
uloga (f.)	– role, part
ulogu Zrinskoga pjeva V. R.	– V. R. is singing the part of Zrinski
Metropoliten opera	– Metropolitan Opera House
on pjeva u Metropoliten operi	– he sings in the MET.
on je naš čovjek	– he is from our country; he is our man (literally)
i mi i naša djeca	– both we and our children
to će biti prekrasno	– it will be wonderful

146

Conversational expressions

kako ste?	– how are you?
vrlo dobro	– very well
za pet minuta	– in five minutes
na kraju	– at the end
on je naš čovjek	– he is from our country
to će biti prekrasno	– it will be wonderful

Grammatical explanation

1. Enclitics

Enclitics are the short forms of personal pronouns and auxiliary verbs. The reflexive »se« and the interrogative partical »li« are also enclitics. Enclitics are not stressed. So far we have learned the following enclitics:

Verbal

> Short form of *biti: sam, si, je, smo, ste, su*
>
> Short form of *htjeti: ću, ćeš, će, ćemo, ćete, će.*

Pronominal

> Short Dative of personal
> > pronouns: *mi, ti, si, mu, joj, nam, vam, im.*
>
> Short Accusative and
> Genitive of personal
> > pronouns: *me, te, se, ga, je, ju, nas, vas, ih.*
> >
> > Reflexive: *se*
>
> Interrogative particle:*li*

2. Order of unstressed personal pronouns

When more than one pronoun is used the Dative precedes the Accusative e.g.

> Ona *mi ju je* kupila.   She has bought it for me.

If verbal and pronominal enclitics occur together, the verb precedes the pronoun e.g.

> Vidio sam ga u Samoboru.   I saw him in Samobor.
> Ja sam mu rekao.   I told him.

In the negative the pronominal enclitic precedes the verb e.g.

> Ja *ga* ne vidim.   I do not see him.
> Ja *mu* nisam rekao.   I did not tell him.

But if the subject (the personal pronoun) is not expressed, the pronominal enclitic follows the verb e.g.

> Ne vidim *ga*.   I do not see him.
> Nisam *mu* rekao.   I did not tell him.

If the verbal enclitic is *je* (is), it follows the pronoun e.g.

> On *mu je* to rekao.　He told him that.
> Ona *ga* je vidjela.　She saw him.

The enclitic *li* precedes other enclitics e.g.

> **Jesi** *li je* vidio?　Have you seen her?
> **Jesi** *li ga* vidio?　Have you seen him?

The reflexive pronoun *se* follows other pronouns e.g.

> Svida *li vam se* kazalište?　Do you like the theatre?
> Hoće *li vam se* ona
> svidjeti?　Will you like her?

3. The personal pronouns and the reflexive pronoun *sebe* used in the context

Unstressed forms	Stressed forms	
Ona *me* voli.	Ona voli *mene*.	She likes *me*.
Ja *te* volim.	Ja volim *tebe*.	I like *you*.
Ja *se* perem.	Perem *sebe*.	I am washing *myself*.
Ona *ga* ne voli	Ona ne voli *njega*.	She does not like *him*.
Ja *je* volim.	Ja volim *nju*.	I like *her*.
Oni *nas* ne vole.	Oni ne vole *nas*.	They do not like *us*.
Mi *ih* ne volimo.	Mi ne volimo *njih*.	We do not like *them*.

Unstressed forms	Stressed forms
Ona *mi* je to rekla. She has told *me* that.	Ona je to rekla *meni*. She has told that *to me*.
On *ti* je to rekao. He told *you* that.	On je to rekao *tebi*. He told that *to you*.
Rekao sam *si*. I told *myself* that.	Rekao sam to *sebi*. I told that to *myself*.
Ja sam *mu* to rekao. I told *him* that.	Ja sam to rekao *njemu*. I told that *to him*.
On *joj* je to rekao. He told that *her*.	On je to rekao *njoj*. He told that to her.
Ona *nam* je to rekla. She told *us* that.	Ona je to rekla *nama*. She told that *to us*.

Ja sam *vam* to rekao.	Ja sam to rekao *vama*.
I told *you* that.	I told that *to you*.
Mi smo *im* to rekli.	Mi smo to·rekli *njima*.
We told *them* that.	We told that *to them*.
On sjedi iza *mene*.	He is sitting behind *me*.
Ona sjedi iza *tebe*.	She is sitting behind *you*.
Ne vidim ništa iza *sebe*.	I do not see anything behind *me*.
On ne sjedi iza *njega*.	He is not sitting behind *him*.
Mi sjedimo iza *nje*.	We are sitting behind *her*.
Ona ne sjedi iza *nas*.	She is not sitting behing *us*.
Mi ne sjedimo iza *vas*.	We are not sitting behind *you*.
Vi sjedite iza *njih*.	You are sitting behind *them*.
Razgovarali smo o *meni, tebi, njemu, njoj, nama, vama* i o *njima*.	We talked about *me, you, him, her, us, you* and about *them*.
Govorili su o *sebi*.	They talked about *themselves*.
Ja govorim *s tobom, s njim* i *s njom*.	I am speaking *to you, to him,* and *to her*.
Vi govorite sa *mnom*.	You are speaking *to me*.
On govori sa *sobom*.	He is talking *to himself*.
Mi govorimo s *vama* i s *njima*.	We are speaking *to you* and *to them*.
Vi govorite s nama.	You are talking *to us*.

149

4. The reflexive pronoun *sebe* or *se*

The reflexive pronoun *sebe* or *se* is always the same for all persons, all genders and for both singular and plural. It has neither Nominative nor Vocative. Examples:

On *se* pere.	He is washing *himself*.
Oni *se* peru.	They are washing *themselves*.
On je kupio kartu za *sebe*.	He has bought the ticket for *himself*.
Oni su kupili karte za *sebe*.	They have bought the tickets for *themselves*.
On je mislio o *sebi*.	He thought about *himself*.
Oni su mislili o *sebi*.	They thought about *themselves*.

The pronoun *sebe* or *se* (self) corresponds to all English reflexive pronouns when it refers to the subject of the sentence – myself, thyself, himself, herself, itself, ourselves, yourselves, themselves. Examples:

Ne vidim ništa iza *sebe*.	I do not see anything behind *me*.
Rekao si to *sebi*.	You said that to *yourself*.
Pere *se*. Pere *sebe*.	He is washing *himself*.
Mislimo o *sebi*.	We are thinking about *ourselves*.
Radite za *sebe*.	You are working for *yourselves*.
Kupuju karte za *sebe*.	They are buying the tickets for *themselves*.

Exercises

Translation from Lesson 22:
(I)
1. Kupio je kartu za sebe, a ne za njega.
2. On mi je to rekao. Ona joj je to rekla.
3. Vidio me je u kazalištu. Vidjela ga je u redu.
4. Govorili smo o vama i o njima.
5. Hoćete li jesti s nama.

(II)
1. Moja je kuća nasuprot hotelu.
2. Ana je sjedila nasuprot Stjepanu.

Pronouns replacing personal names from Lesson 22:
(III)
1. On će kupiti karte za nju i za njega.
2. Rekao sam to i njemu i njoj.
3. Ona voli njega i nju.
4. Oni su razgovarali o njemu i o njoj.
5. U kazalište ću ići s njim i s njom.

24. vježba (Dvádeset čètvrta vježba)

ŠÉTNJA GÓRNJIM GRÁDOM

Àna: Òvo je tȓg Zrínjevac, a nèdaleko je Tȓg Repùblike. Tàmo je Ìlica, jèdna od *nájstarijih* i *nájljepših* ùlica u Zàgrebu.

Edward: Nȅboder je *nájviša* zgràda na Tȓgu Repùblike.

Jòsip: To je *nòvija* zgràda, sàgrađena nèdavno.

Jane: Màma, štȍ jȅ tó? Johne, vȉdiš li ònaj plávi tràmvaj.

Stjèpan: Tó nije tràmvaj, nègo zágrebačka uspinjača. Tó je nàša turìstička atràkcija. Povézimo se uspìnjačom.

Jane: Tàta, kárte su na uspìnjači *jeftìnije* nègo u tràmvaju. Glȅ, vèć smo u Górnjem grádu.

Mary: Pògled je s Górnjega gráda prèkrasan. Óvdje je atmosféra *romantìčnija* nègo u príči.

Jane: Edwarde, vȉdiš li dívnu kùću. Òva kùća óvdje *ljépša* je nègo òna tàmo.

Jòsip: Jane, tó nije òbična kùća, tó je pàlača.

Edward: A òva je kùća *viša* od òstalih.

Ìvan: Tó nìje kùća, tó je stára kúla »Lotršćák«.

Àna: Zà mene je òvo *nájdraži* dio Zágreba. Óvdje su nàše stáre instìtucije, pȓvo zágrebačko kàzalište, pàlače, cȓkve, galèrije. Òvo je Márkov tȓg; s dèsne je stráne Sábor, a s lijéve su Bánski dvóri. Bánski su dvóri nèkadašnje sjèdište hȓvatskog bána, a sàda su sjèdište vláde Repùblike Hȓvatske.

Edward: Jȅ li Zàgreb *stáriji* od New Yorka?

Mary: Slùšajte, djèco! Zágreb se spòminje 1093. gòdine, a Amèrika je otkrivèna tȅk 1492. gòdine. Zèmlja vàših ròditelja, stári kráj, ìma *stàrije* i *bogàtije* kulturno nàsljeđe nègo mnòge drùge zèmlje.

Stjèpan: Òvo je atèlje *nájpoznatijega* hȓvatskog kȉpara, Ìvana Mèštrovića. Ón je rádio i u Amèrici, a svòje atèljȅe u Zàgrebu i u Splìtu poklònio je hȓvatskom nàrodu.

Jòsip: Sàd se sjèćam. Kipovi »Indìjanaca« u Grant Central Parku u Chicagu djèlo su Ìvana Mèštrovića. Izvòlite úći u atèlje.

The comparatives and the superlatives are printed in italics.

Words and phrases

dvadeset četvrta (f.)	– the twenty fourth
šetnja (f.)	– walk
gornji, a, e	– upper
šetnja Gornjim gradom	– a walk in the Upper town
Zrinjevac (m.)	– Zrinjevac, name of a square in Zagreb
Ilica (f.)	– Ilica, name of a street in Zagreb
jedna od	– one of
ulica (f.)	– street
neboder (m.)	– skyscraper
visok, a, o	– tall, high
nedavno	– recently, lately
sagrađen, a, o	– built
vidjeti (vidim)	– to see
vidiš li?	– can you see?
uspinjača (f.)	– furnicular
turistički, a, o	– tourist
atrakcija (f.)	– attraction
povesti se (povezem se)	– take for a ride (drive)
povezimo se uspinjačom	– let's go by furnicular
gle	– look
već	– already
gle, već smo u Gornjem gradu	– look, we are in the Upper town already
pogled s Gornjega grada	– a view from the Upper town
atmosfera (f.)	– atmosphere
priča (f.)	– story, fable, table
običan, a, o	– ordinary, usual
palača (f.)	– palace
ostali	– the others, the rest
ova je kuća viša od ostalih	– this house is higher than the others
kula (f.)	– tower
drag, a, o	– dear, favourite
dio (m.)	– part
za mene je ovo najdraži dio Zagreba	– it's my favourite part of Zagreb
institucija (f.)	– institution
crkva (f.)	– church
galerija (f.)	– gallery
Markov trg (m.)	– St. Mark's Square
desni, a, o	– right-hand

152

strana (f.)	– side
s desne strane	– on the right-hand side
Sabor (m.)	– Assembly, Parliament
lijevi, a, o	– left
s lijeve (strane)	– on the left-hand side
ban (m.)	– governor; ban – title of the governor of Croatia in Austrian times
banski, a, o	– governor's, ban's
dvor (m.)	– court, castle; *dvori* is the plural of the noun *dvor* and means *court, palace*
Banski dvori	– the Governor's Palace
nekadašnji, a, e	– former, sometime
sjedište (n.)	– seat
vlada (f.)	– government
republika (f.)	– republic
slušajte, djeco	– listen, children
spominje se	– is mentioned
devedeset	– ninety
treći, a, e	– third
tisuću devedeset i treće (godine) or 1093.	– 1093
otkriven	– discovered
tek	– only, not earlier than, not until
četiristo or četiri stotine	– four hundred
stotina (f.)	– a hundred
drugi, a, o	– the second
tisuću četiristo devedeset i druge (godine) or 1492.	– 1492
zemlja (f.)	– country, native country
kulturni, a, o	– cultural
nasljeđe (n.)	– tradition
mnogi, a, o	– many
drugi, a, o	– other
nego mnoge druge zemlje	– than many other countries
atelje (m.)	– sculptor's studio; *ateljee* is the plural Accusative of *atelje*
kipar (m.)	– sculptor
svoj, a, e	– his
pokloniti (poklanjam)	– to give as gift, to donate, to present
narod (m.)	– people
sjećati se (sjećam se)	– to remember

153

kip (m.)   – sculpture
Indijanac (m.)   –. Red Indian
djelo (n.)   – work, product, creation, work of art

Conversational expressions

pogled s Gornjega grada   – a view from the Upper town
slušajte, djeco   – listen, children
izvolite ući u atelje   – please come into the studio

Grammatical explanation

1. Assimilation caused by *j*

The sound *j* affects many consonants preceding it e.g.

154

d + j = đ	mlad + ji	= mlađi (younger)
t + j = ć	žut + ji	= žući (yellower)
k + j = č	jak + ji	= jači (stronger)
g + j = ž	drag + ji	= draži (dearer)
s + j = š	pis + jem	= pišem ((I write)
z + j = ž	brz + ji	= brži (quicker)
h + j = š	tih + ji	= tiši (calmer)
n + j = nj	crn + ji	= crnji (blacker)
p + j = plj	skup + ji	= skuplji (more expensive)
b + j = blj	grub + ji	= grublji (coarser)
m + j = mlj	hram + jem	= hramljem (I limp)
v + j = vlj	ulov + jen	= ulovljen (caught)

2. The adjective stem

The adjective stem is formed by dropping the Genitive singular ending from the indefinite masculine adjective e.g. N. mlad, G. mlad-a. So the adjective stem of the adjective mlad, a o (young) is *mlad-*. The adjective stem is specially important for adjectives with the mobile *-a*.

3. The comparative

The comparative is formed by adding the endings *-iji*, *-ji*, and *-ši* to the adjective stem or to the indefinite adjective in the Nominative.

A.

Most adjectives form the comparative by adding *-iji* (m.), *-ija* (f.), *ije* (n.). They are monosyllabic adjectives, bisyllabic adjectives which do not end in *-ak*, *-ok*, *-ek*, and almost all polysyllabic adjectives e.g.

Positive	Comparative		
	m.	f.	n.
star (old)	stariji	starija	starije
nov (new)	noviji	novija	novije
pun (full)	puniji	punija	punije
crven (red)	crveniji	crvenija	crvenije
jeftin (cheap)	jeftiniji	jeftinija	jeftinije
hladan (cold)	hladniji	hladnija	hladnije
zanimljiv (interesting)	zanimljiviji	zanimljivija	zanimljivije
elegantan (elegant)	elegantniji	elegantnija	elegantnije
popularan (popular)	popularniji	popularnija	popularnije

B.

The adjectives forming the comparative by adding the endings *-ji* (m.), *-ja* (f.), *-je* (n.) are:

a) most monosyllabic adjectives with a long vowel e.g.

Positive	Comparative			
		m.	f.	n.
jâk	jak-ji	jači	jača	jače (stronger)
drâg	drag-ji	draži	draža	draže (dearer)

b) bisyllabic adjectives mostly ending in *-ak*, *-ok*, *-ek*. These endings are dropped before adding *-ji*, *-ja*, *-je*. Assimilation then takes place e.g.

Positive	Comparative	
kratak (short)	krat + ji = kraći, a, e (shorter)	t + j = ć
vis-ok (high)	vis + ji = viši, a, e (higher)	s + j = š
dal-ek (far)	dal + ji = dalji, a, e (farther)	l + j = lj

C.

Only three adjectives form their comparatives by adding the endings -*ši* (m.), -*ša* (f.), -*še* (n.). They are:

	n.	f.	n.	
lak (light)	lakši	lakša	lakše	lighter
lijep (beautiful)	ljepši	ljepša	ljepše	more beautiful
mek (soft)	mekši	mekša	mekše	softer

4. The superlative

The superlative is formed by adding the prefix -*naj* to the comparative e.g.

Positive	Comparative	Superlative
star (old)	stariji (older)	najstariji (the oldest)
hladan (cold)	hladniji (colder)	najhladniji (the coldest)
popularan (popular)	popularniji (more popular)	najpopularniji (the most popular)
jak (strong)	jači (stronger)	najjači (the strongest)
kratak (short)	kraći (shorter)	najkraći (the shortest)
lak (light)	lakši (lighter)	najlakši (the lightest)

5. Irregular adjectives

Some adjectives form their comparatives and superlatives irregularly. The most common of these are:

Positive	Comparative	Superlative
dobar (good)	bolji (better)	najbolji (the best)
zao (bad)	gori (worse)	najgori (the worst)
velik (large, big)	veći (larger)	najveći (the largest)
malen (small)	manji (smaller)	najmanji (the smallest)

6. The declension of the comparative and the superlative

The declension of the comparative and the superlative is equal to the declension of definite adjectives. All the endings of this declension are long.

7. *Than* after a comparative or superlative

The comparative is followed most frequently by *nego* (than) or *no* (than) followed by the Nominative or *od* (than) followed by the Genitive, e.g.

Ova je kuća ljepša *nego* ona (kuća).	This house is
Ova je kuća ljepša *no* ona (kuća).	nicer than that
Ova je kuća ljepša *od* one (kuće).	one.

8. Prepositions (continued)

Preposition *s, sa* (with)

The preposition *s, sa* is used with the Genitive and the Instrumental. It has the form of *sa* in front of the consonants *s, š, z, ž.*

To su čevapčići *sa* sirovim izrezanim lukom.	These are ćevapčići with raw chopped onions.
Tko je onaj starac *sa* štapom?	Who is that old man with a walking-stick.

s with the Genitive:

S desne je strane Sabor, a *s* lijeve su Banski dvori.	The Parlament is on the right-hand side and the Governor's Palace on the left-hand side.

s with the Instrumental:

Gospođa *s* bijelim mačkom je Engleskinja.	The lady with a white cat is an Englishwoman.
Ovo su ploče *s* pjesmama iz Slavonije i Dalmacije.	These are records with songs from Slavonia and Dalmatia.
Mi volimo limunadu *s* ledom.	We like lemonade with ice.

Put the following adjectives into the comparative and superlative:
(I)
umoran, a, o; divan, a, o; lijep, a, o; udoban, a, o.

Translate into Croatian (use the preposition *od*):
(II)
1. Joseph is older than Mary.
2. Milk is cheaper than wine.
3. The palace is more beautiful than the house.
4. The tower is higher than the palace.
5. Jane is better than Edward.

25. vježba (Dvádeset péta vježba)

VÒŽNJA JÀDRANSKOM MAGISTRÁLOM

Joseph: Djèco, *žèljeli bismo* da vìdite hŕvatsku òbalu. Da ìmamo vrèmena, *pòsjetili bismo* i òtoke.

Mary: Dòsad smo pòsjetili Ìstru i Hŕvatsko primorje, a sàd smo vèć u Dàlmaciji. Vìdjeli smo Pòreč, Ròvinj, Opàtiju, Púlu, Rijéku, Zàdar, Šìbenik i Trògir, a prèd nama je Splìt. *Htjèli bismo* da vìdite ljepòte stároga kràja, a i bògato kùlturno násljeđe zèmlje vàših ròditelja.

John: Da ìmam nòvaca, *pùtovao* bih po cijéloj zèmlji. Tó je nájljepša zèmlja kòju sam vìdio. *Bi li pùtovala* sà mnom, Jane?

Jane: Vŕlo ràdo, Johne!

Ivan: I *já bih pùtovao* s vàma, Johne. A i Edward.

Jane: Màma, hòćemo li jòš snìmati? *Žèljela bih* da mòje prijatèljice vìde kàko je lijépa zèmlja mòjih ròditelja. **159**

Mary: Hòćemo, àli sàd se žúrimo ù Split. Žèlimo što prìje vìdjeti nàše dráge ròdake. Òni nas žèljno čèkaju. Zàtim idemo u Dùbrovnik. *Nè bismo htjèli* zàkasniti na otvorénje Dùbrovačkog festivála. U Dùbrovniku su nàši prijatelji iz Zágreba.

Joseph: Hèj, djèčače! Kàmo vòdi òva cèsta? Ù Split?

Dječak: Dà, rávno ù Split.

Joseph: Hvála lijépa.

The forms of the Present Conditional are printed in italics.

Words and phrases

dvadeset peta (f.)	– the twenty fifth
vožnja (f.)	– drive, ride
vožnja Jadranskom magistralom	– a drive along the Adriatic coast road
željeli bismo da vidite	– we would like you to see, we want you to see

da	– if
otok (m.)	– island
da imamo vremena	– if we had time
dosad	– up to now, so far
Istra (f.)	– Istra, a peninsula in the north of Croatia
Hrvatsko primorje (n.)	– The Croatian Littoral, the northern part of the Adriatic
pred nama	– in front of us
htjeli bismo	– we would like
ljepota (f.)	– beauty
da imamo novaca	– if we had money
cijel, a, o	– whole
po cijeloj zemlji	– through the whole country
koji, a, e	– which
najljepša zemlja koju sam vidio	– the most beautiful country I have seen
sa mnom	– with me
vrlo rado	– very gladly, very much, with pleasure
snimati (snimam)	– to shoot
hoćemo li još snimati?	– are we going to shoot more?
žuriti se (žurim se)	– to hurry, to be in a hurry
što prije	– very soon, as soon as possible
željno	– anxiously, eagerly
zatim	– after that
ići (idem)	– to go
zakasniti (zakasnim)	– to be late
ne bismo htjeli zakasniti	– we would not like to be late
otvorenje (n.)	– opening
dubrovački, a, o	– from Dubrovnik
festival (m.)	– festival
Dubrovački festival	– the Dubrovnik festival, the well--known summer festival of music and drama held in Dubrovnik every year
dječak (m.)	– boy
hej, dječače	– listen, boy; hello, boy
kamo	– where, in which direction
cesta (f.)	– motorway, road, highway
kamo vodi ova cesta?	– which way does this road go, where does this road lead?
ravno	– straight, in direction of
ravno u Split	– straight to Split

160

Conversational expressions

po cijeloj zemlji	– through the whole country
sa mnom	– with me
vrlo rado	– very gladly
što prije	– very soon, as soon as possible

Grammatical explanation

1. The Present Conditional

Affirmative

Singular		Singular
ja bih kupio	kupio bih	I should (would) buy
ti bi kupio	kupio bi	you would buy
on bi kupio	kupio bi	he would buy
ona bi kupila	kupila bi	she would buy
ono bi kupilo	kupilo bi	it would buy
Plural		**Plural**
mi bismo kupili	kupili bismo	we should (would) buy
vi biste kupili	kupili biste	you would buy
oni bi kupili	kupili bi	they would buy
one bi kupile	kupile bi	they would buy
ona bi kupila	kupila bi	they would buy

The Present Conditional is formed from the Aorist Tense of the verb *biti* (to be) used as an auxiliary (bih, bi, bi; bismo, biste, bi) and the active past participle of the verb concerned.

Interrogative

Singular		Singular
da li bih (ja) kupio?	bih li (ja) kupio?	should (would) I buy?
da li bi (ti) kupio?	bi li (ti) kupio?	would you buy?
da li bi (on) kupio?	bi li (on) kupio?	would he buy?
da li bi (ona) kupila?	bi li (ona) kupila?	would she buy?
da li bi (ono) kupilo?	bi li (ono) kupilo?	would it buy?

Plural		Plural
da li bismo (mi) kupili	bismo li (mi) kupili?	should (would) we buy?
da li biste (vi) kupili?	biste li (vi) kupili?	would you buy?
da li bi (oni) kupili?	bi li (oni) kupili?	would they buy?
da li bi (one) kupile?	bi li (one) kupile?	would they buy?
da li bi (ona) kupila?	bi li (ona) kupila?	would they buy?

The interrogative Present Conditional is formed by putting the particle *da li* before the Aorist auxiliary (da li bi ti kupio?) or by putting the particle *li* immediately after the Aorist auxiliary (biste li vi kupili?).

Negative

Singular	Singular
(ja) ne bih kupio	I should (would) not buy
(ti) ne bi kupio	you would not buy
(on) ne bi kupio	he would not buy
(ona) ne bi kupila	she would not buy
(ono) ne bi kupilo	it would not buy
Plural	**Plural**
(mi) ne bismo kupili	we would not buy
(vi) ne biste kupili	you would not buy
(oni) ne bi kupili	they would not buy
(one) ne bi kupile	they would not buy
(ona) ne bi kupila	they would not buy

The negative form of the Present Conditional is formed by putting the particle *ne* immediately before the Aorist auxiliary.

2. Prepositions (continued)

Preposition *kraj* (near, beside)

The preposition *kraj* is used with the Genitive.

kraj with the Genitive:

Kraj zgrade je nova koncertna dvorana.	There is a new concert-hall near the building.
Kraj Samobora će se održati iseljenički piknik.	The emigrants' picnic will be held near Samobor.

Translate into Croatian:
(I)
1. I would like to visit Split.
2. We would like to live in Trogir.
3. Would you like to travel with us?
4. Would you go (f.) to the cinema if you had money?
5. I would not like to be late for the opening of the festival.

(II)
1. The Emigrants' picnic will be held near Samobor.
2. Will Joseph, Ivan and Antun be there?
3. Grandmother will be at the picnic too.
4. She will bring lunch and dinner (supper) in the basket.
5. This will be a real national party (merry-making).

Put the pronouns in brackets into the correct case endings:
(III)
1. John sjedi iza .... (ja)
2. On je to rekao .... On .... je to rekao. (ti)
3. Ona voli .... Ono .... umiva. (sebe)
4. Razgovarali smo o .... Govorili smo i o .... (vi, oni)
5. U kazalište idem s .... U operu idem i s .... i s .... (vi, ona, on)

The comparatives and the superlatives of the adjectives from Lesson 24:
(I)
umorniji, a, e – najumorniji, a, e; divniji, a, e – najdivniji, a, e; ljep-ši, a, e – najljepši, a, e; udobniji, a, e – najudobniji, a, e.

Translation from Lesson 24:
(II)
1. Josip je stariji od Marije.
2. Mlijeko je jeftinije od vina.
3. Palača je ljepša od kuće.
4. Kula je viša od palače.
5. Jane je bolja od Eduarda.

26. vježba (Dvádeset šèsta vježba)

HȒVATSKA BRȀTSKA ZȀJEDNICA

Mary: Pògledala sam ù nebo, pògledala sam ù more, pògledala sam ù gore, a zàtim sam poljúbila svéto tlò gdjè sam se ròdila.

Tètka: Drági mòji ròđaci, vesèlimo se vàšem dòlasku. Ìmate slàtku djècu. Ja...

Stríc: Tètka se toliko razvèselila da je zàplakala od srèće.

Tètka: Níste zabòravili stári kráj.

Joseph: Nísmo. U Amèrici mìslimo na stári kráj. Ìmamo organizáciju »Hȑvatska bràtska zàjednica«. Organizácija »Hȑvatska zàjednica« òsnovana je 1894. gòdine, a 1926. dòbila je ìme »Hȑvatska bràtska zàjednica«. Ìmamo i slùžbeno glàsilo. Òno je 1904. gòdine nàzvano »Zàjedničar«. Za djècu nàših iseljeníka òsnovan je 1915. gòdine Pòdmladak zàjednice, a 1939. òdržana je Pȓva konvèncija Pòdmlatka. John, Edward i Jane článovi su Pòdmlatka.

Tètka: To je dòbro. Právi ròdoljub nè smije zabòraviti svòju zèmlju.

Joseph: Kàda mòžemo, pòmažemo svòjoj dòmovini.

Stríc: A šada ćemo zàpjevati jèdnu pjèsmu.

MȀRICE DÌVOJKO

Màrice dìvojko, gòspodskoga ròda,
Tí ne pèri rúblje kraj mòjega bròda.

Máni se ti mène i mòjega ròda,
Já ću pràti rúblje gdjè je mène vòlja.

Àko si gospòdar od svòjega bròda
Tí nísi gospòdar od sínjega móra.

The perfective aspect of the verbs from this lesson is printed in italics; the words in which voicing or unvoicing of the consonants took place are also printed in italics.

Words and phrases

dvadeset šesta (f.) – the twenty sixth
bratski, a, o – fraternal
zajednica (f.) – union
Hrvatska bratska zajednica – Croatian Fraternal Union
pogledati (pogledam) – to have a look
nebo (n.) – sky
gora (f.) – mountain
zatim – then
a zatim – and then
poljubiti (poljubim) – to kiss
svet, a, o – holy
tlo (n.) – ground
gdje sam se rodila – where I was born
tetka (f.) – aunt
veseliti se (veselim se) – to rejoice
sladak, a, o – sweet, nice
stric (m.) – uncle
razveseliti se (razveselim se) – to cheer up, to gladden, to be delighted
zaplakati (zaplačem) – to burst into tears
sreća (f.) – happiness **165**
zaboraviti (zaboravim) – to forget
organizacija (f.) – organization
osnovati (osnivam) – to found, to set up, to establish
tisuću osam stotina devedeset i četvrte godine or 1894. – 1894
tisuću devet stotina dvadeset i šeste godine or 1926. – 1926
dobiti (dobijem) – to get, to obtain
službeni, a, o – official
glasilo (n.) – organ, party paper
tisuću devet stotina i četvrte godine or 1904. – 1904
nazvati (nazovem) – to name, to call, to get a name
nazvan, a, o – named, called
ono je nazvano – it was called (named)
Zajedničar (m.) – *Zajedničar* is the name of a paper; as a word *zajedničar* (m.) denotes a member of a union (community); fraternalist
tisuću devet stotina i petnaeste godine or 1915. – 1915

podmladak (m.)	– progeny, issue, young people; here the name of the youth organization
tisuću devet stotina trideset i devete or 1939.	– 1939
održati (održim)	– to be held
konvencija (f.)	– convention
član (m.)	– member
prav, a, o	– real, genuine
rodoljub (m.)	– patriot
smjeti (smijem)	– to be allowed, to dare, ought
ne smije	– ought not
pomagati (pomažem)	– to help
zapjevati (zapjevam)	– to start singing
pjesma (f.)	– song
'divojko	– the vocative of divojka (f.), the dialect form of djevojka (girl)
gospodski, a, o	– noble, high, aristocratic
rod (m.)	– descent, birth
prati (perem)	– to wash
ti ne peri	– don't (you) wash
rublje (n.)	– linen, clothes
kraj	– near
brod (m.)	– boat, ship
maniti se nekoga	– colloquially: leave somebody alone, in peace
mani se ti mene	– leave me alone
volja (f.)	– wish
ako	– if
gospodar (m.)	– master
svoj, a, e	– your
sinji, a, e	– blue

166

The song MÀRICE DÌVOJKO in English

O, Mary, girl, of noble birth,
Do not wash your linen near my boat.

Leave me alone, me and my birth,
I will wash my linen where I want.

If you are the master of your boat,
You are not the master of the blue sea.

Conversational expressions

zatim	– then
a zatim	– and then
ono je nazvano	– it was called (named)
ne smije	– ought not

Grammatical explanation

1. Verbal aspect

The Croatian language is different from the other West European languages in one very important thing: its distinguishing characteristic is the verbal aspect or way of considering verbal meaning. Verbs in Croatian not only denote verbal action or verbal status, as in English, but they also indicate whether the action is still in progress or whether it has been completed.

This means that in Croatian almost every verb exists in two forms or aspects: imperfective and perfective. For instance, the two forms of the verb *gledati* (to look, to have a look) are: *gledati* (imperfective) and *pogledati* (perfective). The imperfective form expresses an action which is still in progress while the perfective form expresses an action which has been completed or which is limited. Examples:

Imperfective	Perfective
Gledala je u nebo.	Pogledala je u nebo.
She was looking at the sky.	She had a look at the sky.
Oni su se ljubili.	On ju je poljubio.
They were kissing each other.	He kissed her.
Plakala je cijeli dan.	Zaplakala je od sreće.
She was crying the whole day.	She burst into tears with happiness.
Pjevali su lijepe pjesme.	Zapjevali su lijepu pjesmu.
They were singing nice songs.	They began to sing a nice song.

2. Imperfective and perfective verbs

Some imperfective verb may become perfective by means of a prefix. The imperfective verbs express an action that is being repeated.

Imperfective	Perfective
gledati (to look at)	po-gledati (to have a look)
veseliti se (to be happy, to rejoice)	raz-veseliti se (to become happy)
plakati (to cry)	za-plakati (to burst out crying)
zvati se (to have a name)	na-zvati (to get a name)
pjevati (to sing)	za-pjevati (to start singing)

Perfective verbs may become imperfective by prolonging or changing the root of the word with the following vowels or infixes: *a, iva, ova, aja, ija.* Examples:

Perfective	Imperfective
sjediti (to sit)	sjed*a*ti (to sit often)
osnovati (to set up)	osn*iva*ti (to set up often)
kupiti (to buy)	kup*ova*ti (to buy often)
ustati (to get up)	ust*aja*ti (to get up often)
probiti (to break through)	prob*ija*ti (to break through often)

3. Voiced and unvoiced consonants

In Croatian we have voiced and unvoiced (voiceless) consonants. Voiced consonants have their unvoiced equivalents (except *j, l, lj, r, m, n* and *nj);* unvoiced consonants have their voiced equivalents (except *h* and *c*).

Voiced	b	d	v	g	d	dž	ž	z				l	r	m	n	j	lj	nj
Unvoiced	p	t	f	k	ć	č	š	s	c	h								

Practical rule: During the production of voiced consonants our vocal cords vibrate.

4. Consonental changes

When two or more vioced and unvoiced consonants come together, voicing or devoicing of consonants takes place. This means that all the consonants in the cluster of consonants become »voiced« or »unvoiced« *according to the last consonant* e.g.

      Englez – englezki   – engleski (Englishman, English)
      sladak – sladki   – slatki (sweet)

težak – težki	– teški (difficult)	
narezak – narezci	– naresci (cold cut, cold cuts)	
dolazak – dolazka	– dolaska (arrival, gen. s.)	
podmladak – podmladka	– podmlatka (progeny, young people)	
svat – svatba	– svadba (wedding guest, wedding)	

In the first example – englezki – the sound z is voiced and the sound k is unvoiced. According to the above rule, the voiced sound z is changed into its unvoiced counterpart s: engleski.

In the last example – svatba – the sound t is unvoiced and the sound b is voiced. According to the above rule, the sound t is changed into its voiced counterpart d: svadba.

Remember: *the change (mutation) takes place according to the last consonant.*

Exercises

Translate into Croatian:
(I)
1. He was looking at the sea.
2. He had a look at the room.
3. She was weeping with unhappiness.
4. She burst into tears of joy.
5. She always forgets everything.
6. He forgot to kiss her.
7. They were singing the whole day.
8. They started singing a beautiful song.

Translation from Lesson 25:
(I)
1. Želio bih posjetiti Split.
2. Željeli bismo živjeti u Trogiru.
3. Biste li željeli s nama putovati?
4. Bi li išla u kino da imaš novaca?
5. Ne bih htio zakasniti na otvorenje festivala.

(II)
1. Iseljenički piknik održat će se kraj Samobora.
2. Hoće li tamo biti Josip, Ivan i Antun?
3. I baka će biti na pikniku.
4. Ona će objed i večeru donijeti u košari.
5. To će biti pravo narodno veselje.

The pronouns from Lesson 25 in the correct case endings: (I)

1. John sjedi iza mene.
2. On je to rekao tebi. On ti je to rekao.
3. Ona voli sebe. Ono se umiva.
4. Razgovarali smo o vama. Govorili smo o njima.
5. U kazalište idem s vama. U operu idem i s njom i s njim.

27. vježba (Dvádeset sédma vježba)

DÙBROVNIK

Joseph: Mary, *pódimo* na dùbrovačke zìdine. Jòhne, *ìdi* po Edwarda, *nèka* ì on *ìde* s nàma.

Mary: *Ìdi* i po Jane, *neka* i òna *ìde*. Èvo ih vèć dòlaze.

Jane: Màma, dànas pòslije pódne ìšli bismo na kúpanje. Kúpanje je u Dùbrovniku dívno – móre je tòplije nègo u Opàtiji.

Mary: Dànas nè. Dànas je otvorénje Dùbrovačkog festivála. Glúmci će bìti obučèni u dùbrovačke nóšnje. Èvo nàših prijatelja. Dòbro jùtro!

Stjèpan: Dòbro jùtro! Kàko ste? Kàko vam se svíđa Dùbrovnik?

Mary: Tó je sìgurno jèdan od nájljepših gràdova na svijétu. *Rècite* nam nèšto ò njemu.

Stjèpan: Dàkle, *slùšajte!* Dùbrovnik je òsnovan 416. gòdine. Bìo je slòbodan do 1808. – tàda je Napolèon ùkinuo Dùbrovačku repùbliku. Dùbrovnik je ìmao bògatu trgòvinu, kultúru i ùmjetnost. Osòbito je pòznata stára dùbrovačka knjìževnost. Na festiválu se prikàzuju i djèla dùbrovačkih písaca.

Ana: Dùbrovnik je pùn starína i kùlturnih spòmenika – cȑkava, pàlača, galèrija, dvòrova. Zòvu ga: hȑvatska Aténa.

Stjèpan: Dùbrovnik je ljèti najposjećèniji grád u zèmlji. Tìsuće tùrista iz cijéloga svijéta dòlaze da ga pòsjete.

Mary: Djèco, *čèkajte! Nè idite* sámi na zìdine. *Pòdimo svì* zàjedno.

The forms of the imperative are printed in italics.

171

Words and phrases

dvadeset sedma (f.)   – the twenty seventh
poći (pođem)   – to go, to set off
pođimo   – let's go
Dubrovnik (m.)   – Dubrovnik, a town in Croatia in the southern Adriatic

zidine (m. pl.)	– the walls
pođimo na dubrovačke zidine	– let's go to see the Dubrovnik walls; let's go on the Dubrovnik walls (literal translation)
idi po Edwarda	– go and fetch Edward
evo ih, već dolaze	– here they are coming
poslije podne	– in the afternoon
kupanje (n.)	– swimming, bathing
išli bismo na kupanje	– we would like to go swimming, bathing
obučen, a, o	– dressed
kako ste?	– how are you?
kako vam se sviđa Dubrovnik?	– how do you like Dubrovnik?
na svijetu	– in the world
nešto	– something
recite nam nešto o njemu	– tell us something about it
dakle	– then, hence, therefore
dakle, slušajte	– listen then
četiristo šesnaeste	– 416
osamsto ili osam stotina	– eight hundred
tisuću osam stotina i osme	– 1808
tada	– then
ukinuti (ukinem)	– abolish
Napolen je ukinuo Dubrovačku republiku	– Napoleon abolished the Dubrovnik Republic
bogat, a, o	– rich
trgovina (f.)	– trade
kultura (f.)	– culture
umjetnost (f.)	– art
osobito	– specially
književnost (f.)	– literature
prikazivati se (prikazujem se)	– to perform
starina (f.)	– antique
pun starina i kulturnih spomenika	– full of antiques and cultural monuments
zovu ga	– it is called
Atena (f.)	– Athens
hrvatska Atena	– the Croatian Athens
ljeti	– in summer
posjećen, a, o	– visited
iz cijeloga svijeta	– from all over the world
doći (dolazim)	– to come

sam, a, o	– alone
zajedno	– together
svi zajedno	– all together

Conversational expressions

poslije podne	– in the afternoon
kako ste?	– how are you?
na svijetu	– in the world
svi zajedno	– all together

Grammatical explanation

1. The imperative

The imperative is used in the second person singular and the first and the second persons plural.

The imperative of verbs with the plural ending -ju (čitaju) is formed by dropping the final vowel from the third person plural (čitaj) and adding the endings: – (2 sing.), -mo (1 plural), -te (2 plural) e.g. čitaj, čitaj-mo, čitaj-te.

The verb: *čitati* (to read)
The third person plural: *čitaj-u* (they read)

Singular	Plural
1. _____	1. čitaj-mo (let us read)
2. čitaj (read)	2. čitaj-te (read)
3. _____	3. _____

The imperative of verbs with the plural ending -u (idu) or -e (vole) is formed by dropping the final vowel from the third person plural (id, vol) and adding the endings -i (2 sing.), -imo (1 plural), -ite (2 plural) e.g. id-i, id-imo, id-ite; vol-i, vol-imo, vol-ite.

The verb: *ići* (to go)
The third person plural: *id-u* (they go)

Singular	Plural
1. _____	1. id-imo (let us go)
2. id-i (go)	2. id-ite (go)
3. _____	3. _____

The imperative of the third persons singular and plural may be expressed by putting the word *neka* (let) in front of the first person singular and plural of the Present tense e.g. neka (on, ona, ono) ide, neka (oni, one, ona) idu.

The verb: *ići* (to go)

Third person plural: *id-u* (they go)

Third person singular
of the Present Tense: *ide* (he goes)

Singular	Plural
1. _____	1. id-imo (let us go)
2. id-i (go)	2. id-ite (go)
3. neka (on) ide (let him go)	3. neka (oni) idu (let them go)
3. neka (ona) ide (let her go)	3. neka (one) idu (let them go)
3. neka (ono) ide (let it go)	3. neka (ona) idu (let them go)

2. Negative imperative

The negative imperative is formed by putting the word *ne* before the verb e.g.

Singular: 2. ne idi (don't go), 3. neka (on, ona, ono) ne ide (don't let him, her, it go)

Plural: 1. ne idimo (don't let us go), 2. ne idite (don't go), 3. neka (oni, one, ona) ne idu (don't let them go)

3. The imperative of reći (to say) and pomoći (to help)

a) The verb *reći* (to say):

Singular: 2. reci (say), 3. neka on reče (let him say)

Plural: 1. recimo (let us say), 2. recite (say), 3. neka oni reknu (let them say).

b) The verb *pomoći* (to help):

Singular: 2. pomozi (help), 3. neka (on) pomogne (let him help)

Plural: 1. pomozimo (let us help), 2. pomozite (help), neka (oni) pomognu (let them help).

4. The active past participle of the verb ići (to go)

The verb *ići* (to go) has an irregular active past participle:

singular išao (m.), išla (f.), išlo (n.)
plural   – išli (m.), išle (f.), išla (n.)

5. Adjectival adverbs

Some adjectives in the neuter singular may be used as adverbs. Such adverbs are compared like adjectives e.g.

toplo (warm)	toplije (warmer)	najtoplije (the warmest)
brzo (fast)	brže (faster)	najbrže (the fastest)
dobro (well)	bolje (better)	najbolje (the best)

6. Prepositions (continued)

Prepositions *od* (from, of, than), *kod* (at), *duž* (along)
and *osim* (besides)

The prepositions *od, kod, duž* and *osim* are used with the Genitive.

Od with the Genitive:

Nedaleko *od* kolodvora je pošta.	The post-office is not far from the railway-station.
Djeca vole voćni sok *od* jagoda.	Children like strawberry juice.
Dubrovnik je jedan *od* najljepših gradova na svijetu	Dubrovnik is one of the most beautiful towns in the world.
Zagreb je stariji *od* New Yorka.	Zagreb is older than New York.

Kod with the Genitive:

A sad smo već *kod* kuće.	And now we are at home.

Duž with the Genitive:

Duž obale imamo novu cestu.	We have got a new road along the coast.

Osim with the Genitive:

A osim toga u filmu ima
mnogo lijepih misli.

And besides this there are many
good ideas in the film.

Exercises

Translation from Lesson 26:
(I)

1. Gledao je u more.
2. Pogledao je u sobu.
3. Plakala je od nesreće.
4. Zaplakala je od radosti.
5. Ona sve uvijek zaboravlja.
6. Zaboravio ju je poljubiti.
7. Pjevali su cijeli dan.
8. Zapjevali su lijepu pjesmu.

(II)

Give the second person singular and the first and the second persons plural of the imperative of the following verbs: poći (to go, to set out), ići (to go), doći (to come), reći (to say), slušati (to listen to), osnovati (to found, to set up), ukinuti (to abolish), imati (to have), prikazivati se (to perform), zvati (to call), čekati (to wait).

28. vježba (Dvàdeset òsma vježba)

HÒTEL „CRÒATIA" U CÀVTATU

Àna: *Bìti* u Dùbrovniku ljèti znáči *bìti* u međunárodnoj vrèvi tùrista. *Bìti* u Càvtatu znáči *bìti* u lúci míra, u oázi smírenosti, u ùvali srèće. Càvtat *je* od Dùbrovnika prèma jugoìstoku ùdaljen àutocestom 17 kilometára.

Stjèpan: Nèkoć *je* óvdje *bìo* ìlirsko-grčki grád Epidàurus. Kàsnije *su* ga zàuzeli Rímljani.

Àna: Dànas *je* Càvtat lijép turìstički gràdić, gràdić hotéla i odmàrališta. Tó je gràdić sùptropske klíme, pálmi, agáva, kàktusa, bòrova, čèmpresa, šúma, mìrisnog bílja, meditèranskog žbúnja, brnistre i – bugenvìlije. Càvtat ìma nájljepši hòtel u júžnoj Hrvatskoj – „Cròatiju". Sàv *je* u bílju. Ljèpši hòtel? Zacijélo ga nijéste vìdjeli.   177

Jane: A kàko se zòve òva prèkrasna ljùbičasta bíljka, óvdje, na teràsi hotèla?

Stjèpan: Tó *je* bugenvìlija, bíljka penjàčica, podrijétlom iz Amèrike. A òno tàmo, na òbali, i òno *su* bugenvìlije. A sàd da vas upòznam s dìrektorima hotèla. Òvo *je* gòspar Đúro, a òvo gòspar Mìljenko.

Mìljenko: *Bìt* ćemo vam ùvijek na ùsluzi. Gòspar Đúro brìnut će se za hránu i píće, a já za svè òstalo. A kàko se zòveš tí, djevòjčice? Pa tí vèć lijépo gòvoriš hrvatski.

Jane: Zòvem se Jane. A zàšto tí, gòsparu Mìljenko, nè dođeš žívjeti k nàma, u Amèriku?

Mìljenko: Zàto – jer mi je óvdje lijépo. Zàto – jer vòlim kàmen, móre i lét gàlebova. Zàto – jer *sam* óvdje òno što jèsam, jer *sam* òvdje – svój.

Jane: Hm! Tàta, a štò to znáči – *bìti* svój?

Joseph: Tó ću ti rèći u idùćoj vjèžbi.

The forms of the verb *to be* are printed in italics.

dvadeset osma (f.)	– the twenty eighth
Cavtat (m.)	– Cavtat, the name of a town
ljeti	– in summer
značiti (značim)	– to mean
međunarodni, a, o	– international
vreva (f.)	– tumult, crowd, multitude
luka (f.)	– port
mir (m.)	– peace
oaza (f.)	– oasis
smirenost (f.)	– peace
uvala (f.)	– cove, small bay
jugoistok (m.)	– south-east
udaljen, a,o	– far, distant, remote, away, from
autocesta (f.)	– motorway, road, highway
kilometar, kilometra (m.)	– kilometre, kilometer
ilirski, a, o	– Illyrian
grčki, a, o	– Greek, Grecian, Hellenic
Epidaurus (m.)	– Epidaurus, the name of a city
kasnije	– later on, afterwards
zauzeti (zauzmem)	– conquer, capture
Rimljanin (m.)	– a Roman; Rimljani (m. pl.) – the Romans
gradić (m.)	– a small town
odmaralište (m.)	– holiday resort
suptropski, a, o	– subtropical
palma (f.)	– palm tree
agava (f.)	– agave, tropical plant
kaktus (m.)	– cactus
bor (m.)	– pine; pl. of *bór* is *bòrovi; bòrova* is gen. pl. of *bór*
čempres (m.)	– cypress
šuma (f.)	– forest, wood
mirisan, sna, sno	– aromatic, fragrant, sweet-smelling
bilje (n.)	– (col.) plants, herbs
mediteranski, a, o	– Mediterranean
žbunje (n.)	– (col.) shrubs, bushes
brnistra (f.)	– broom
bugenvilija (f.)	– bougainvillea
južni, a, o	– southern
zacijelo	– surely, I daresay, undoubtedly, certainly
ljubičast, a, o	– violet
biljka (f.)	– plant
biljka penjačica (f.)	– creeper, climbing plant, climber

podrijetlo (n.)	– origin, stock, extraction
direktor (m.)	– director
gòspar, gospára (m.)	– gentleman, gospodin; *gospar,* a title of courtesy, used in Dubrovnik and its surroundings
bit ćemo vam uvijek na usluzi	– we will always be at your service
brinuti se (brinem se)	– take care of, look after, provide for
hrana (f.)	– food
ostali, a, o	– the rest
za sve ostalo	– for all the rest, for everything else
kamen (m.)	– stone, rock
let (m.)	– flight
galeb (m.); galebovi, galebi (pl.)	– sea-gull
dati (dam)	– to give
ostaviti (ostavim)	– to leave
uzeti (uzmem)	– to take
zadovoljan, ljna, ljno	– satisfied, content, pleased

Conversational expressions

bit ćemo vam uvijek na usluzi	– we will always be at your service
za sve ostalo	– for all the rest, for everything else
pa ti već lijepo govoriš hrvatski	– but you already speak Croatian very well
da vas upoznam sa	– let me introduce you to
kako se zoveš	– what is your name

1. Affirmative and negative form of the verb biti (to be)

Affirmative form

Long form	Short form	
	Singural	Singular
jèsam	sam	I am
jèsi	si	you are
jèst	je	he is
jèst	je	she is
jèst	je	it is
	Plural	Plural
jèsmo	smo	we are
jèste	ste	you are
jèsu	su	they are

180

Negative form

Singular			Singular
nísam	or	nijésam	I am not
nísi		nijési	you are not
nìje		nìje	he is not
nìje		nìje	she is not
nìje		nìje	it is not
	Plural		Plural
nísmo		nijésmo	we are not
níste		nijéste	you are not
nísu		nijésu	they are not

The long or the stressed form of the verb *biti* (to be) is used when it is stressed in the sentence or at the beginning of a sentence, e.g.

Jèsi li zàdovoljan. Jèsam.   Are you satisfied. Yes, I am.
Ìli jèsmo, ìli nísmo.   Either we are or we are not.

The negative form *nijesam* is used more rarely than the usual form *nisam*. However, it is very much used in Dubrovnik and its surroundings, e.g.

Jèste li dànas bíli u Dùbrovniku? Nè, nijésam.

2. Demonstrative pronouns ovaj, taj **and** onaj

òvaj,	òva,	òvo—	this,	that
táj,	tá,	tó—	this,	that
ònaj,	òna,	òno—	this,	that

In Croatian the demonstrative pronouns *ovaj, taj* and *onaj* express varying degrees of nearness or proximity. *Ovaj* refers to things nearest to the 1st speaker, *taj* nearest to the 2nd speaker, and *onaj* nearest to the 3rd speaker, e.g.

Èvo ti *òva* knjìga (the book is in my hand),
tí mèni dáj *tú* (the book is in your hand), a
ònu óndje òstavi na míru (the book is far away from both of us).

181

Examples from Lesson 28:

A kàko se zòve *òva* prèkrasna ljùbičasta bíljka, óvdje, na teràsi hotèla? *Tó* je bugenvìlija, bíljka penjàčica, podrijétlom iz Amèrike. A *òno* tàmo, na òbali, i *òno* su bugenvìlije.

Exercises

Translate into Croatian:
(I)
1. Take this book, this book here, in my hand.
2. Give me that book, that book in your right hand.
3. Give me that book, that book over there.
4. Who is that tall man over there?
5. Whose is this pencil, yours of mine?

The imperatives from Lesson 27:
(I)

pódi, pódimo, pódite; ìdi, ìdimo, ìdite; dóđi, dóđimo, dóđite; rèci, rècimo, rècite; slùšaj, slùšajmo, slùšajte; òsnuj, òsnujmo, òsnujte; ùkini, ùkinimo, ùkinite; ìmaj, ìmajmo, ìmajte; prikàzuj se, prikàzujmo se, prikàzujte se; zòvi zòvimo zòvite; čèkaj, čèkajmo, čèkajte.

29. vježba (Dvádeset dèveta vježba)

ÓJ, BÙDI SVÓJ!

Jane: Ó, pa mi ìmamo sòbu s pògledom na móre. Pògled *je* òdista prèkrasan.

Mìljenko: Èvo, óvdje ìmate rádio. Ùpravo pjèva Krùnoslav Slabínac.

Rádio: Stòg *bùdi* tó što *jèsi*
Onàkva kàkvu te znám
Jer čìni mi se kào da u *svòjoj* màšti
Bàš tàkvu sam te stvòrio sám

Bùdi tó što *jèsi*
Onàkva kàkvu te znám
Jer čìni mi se dà sam cijélog *svóg* živòta
Baš tàkvu žènu žèlio sám

Jane: Òpet: *bùdi* òno što *jèsi!*

John: Shakespeare u *Hàmletu* káže nèšto slìčno (čìta): **183**
Àli òvo ìznad svèga –
Sám préma sèbi *bùdi* ìstinit,
Jer zàtim slijédi kào nóć za dánom,
Da nìkom làžan *bìti* nè možeš.

Stjèpan: Ta mísao vŕlo je stàra. Već je Heràklit rèkao: „*Bùdi* òno što *jèsi.*" A hȑvatski pjèsnik Àugust Šénoa ìspjevao je pjèsmu pod nàslovom *Bùdi svój,* gdje káže:
I *nijési,* bràte, žìvio zalúdu,
Kad *jèsi svój.*

Joseph: Dàkle, što to znáči – *bìti svój?* To znáči mnògo stvári. To znáči – poznávati sámoga sèbe. To znáči – poznávati *svòje* podrijétlo. To znáči – poznávati *svój* màterinski jèzik. To znáči – poznávati svòju dòmovinu.

Edward: Czeslaw Milosz, pòljski nòbelovac kòji žívi u Amèrici, lijépo *je* rèkao: „Sàmo *je* jèzik dòmovina."

Mary: Zàto móramo poznávati hȑvatski jèzik, jer ì to znáči: *bìti svój.*

The forms of the verb *biti* and the personal pronoun *svoj, a, e* are printed in italics.

dvadeset deveta (f.)	– the twenty ninth
odista	– indeed, truly, really, certainly
radio, radija (m.)	– radio, wireless
upravo	– just, directly, exactly, precisely
stog(a)	– therefore, on that account
onakav, onakva, o-nakvo	– such a one (man, person), of that kind (sort, nature, quality)
činiti se (činim se)	– seem, appear, look like
čini mi se	– it seems to me, I think
mašta (f.)	– fancy, imagination, fantasy
baš	– just, exactly, quite, precisely
takav, takva, takvo	– such (a), of such kind (sort, manner, shape, size, character)
stvoriti (stvorim)	– create, form, make, mould
život, života (m.)	– life
sličan, slična, slično	– similar, analogous, alike
Shakespeare	– Shakespeare (čitaj: Šekspir)
kazati (kažem)	– say, tell
čitati (čitam)	– to read
iznad	– above; the translation from *Hamlet* is by the Croatian translator Milan Bogdanović; the original (*Hamlet*, 1.3.) runs as follows: This above all, to thine own self be true And it must follow as the night the day Thou canst not then be false to any man...
prema	– toward, to, against
istinit, a, o	– true, authentic
slijediti (slijedim)	– to follow, to come after
slijedi kao noć za danom	– it follows as the night the day
nitko, nikoga	– nobody, no one
lažan, žna, o	– false, untrue
već	– already
Heraklit	– Heraclitus, a philosopher who wrote about 500 B.C.
pjesnik (m.)	– poet
ispjevati (ispjevam)	– to make a poem, to write a poem, to compose a poem
naslov (m.)	– name, title
pod	– under, below, beneath, towards, at
pod naslovom	– under the title
zaludu, uzalud	– in vain, uselessly, of no avail, to no purpose

poznavati (poznajem)	– to know, to understand
poznavati (pozna-jem) sebe, se	– to know one's self
materinski, a, o	– mother, motherly, maternal
materinski jezik	– mother-tongue, native-tongue
poljski, a, o	– Polish
nobelovac (m.)	– a Nobel-prize winner
samo	– only, nothing else, merely, solely, purely
osobno	– personally, in person
glavom	– in person
sam glavom	– in person
netko	– someone
drugi	– other, the other, the others, else, second, another
mjesto	– instead of
osamljen	– alone
jedini, a, o	– an only one, the only

Conversational expressions

bùdi svój	– be your own self
sòba s pògledom na móre	– a room with a view of thẹ sea
štò to znáči	– what does it mean
ispjevao je pjèsmu	– he wrote a poem
pod náslovom	– under the title
to znáči mnògo stvári	– this means a lot of things
poznávati sámoga sèbe	– to know your own self
màterinski jèzik	– mother-tongue, native tongue

Grammatical explanation

1. Four different stems of the verb biti (to be)

The verb *biti* has four different stems: *bi-, jes-, s-,* and *bud-*.

2. The imperative of biti (to be)

Singular		Singular	
1. _____		1. _____	
2. bùd-i		2. be	
3. _____		3. _____	
Plural		**Plural**	
1. bùd-imo		1. be	
2. bùd-ite		2. be	
3. _____		3. _____	

3. The possessive pronoun svój, a, e (one's own)

Svoj is used for all persons instead of *moj* (mine), *tvoj* (thine, yours), *njegov* (his), *njezin* (hers), *naš* (ours), *vaš* (yours), *njihov* (theirs), e.g.

Ja volim *svoju* majku	I like *my* mother
Ti voliš *svoju* majku	You like *your* mother
On voli *svoju* majku	He likes *his* mother
Ona voli *svoju* majku	She likes *her* mother
Ono (dijete) voli *svoju* majku	He, she (the child) likes (his, her) mother
Mi volimo *svoju* domovinu	We like *our* country
Vi volite *svoju* domovinu	You like *your* country
Oni vole *svoju* domovinu	They like *their* country

Svoj shows that something belongs to the subject of the sentence, e.g.

Ja ću ti dati *svoju* lutku, a *ti* mi daj *svojega* mačka.
I will give you my doll, and you give me your tom-cat.

Note:

Ja volim *svoje* (not: moje) roditelje.	I like my parents.
Ti voliš *svoje* (not: tvoje) roditelje.	You like your parents.
On voli *svoje* (not: njegove) roditelje	He likes his parents.
Ona voli *svoje* (not: njezine) roditelje.	She likes her parents.

Ono (dijete) voli *svoje* (not: njegove) roditelje.	He, she (the child) likes his, her parents.
Mi volimo *svoje* (not: naše) roditelje.	We like our parents.
Vi volite *svoje* (not: vaše) roditelje.	You like your parents.
Oni vole *svoje* (not: njihove) roditelje.	They like their parents.

But:

Ti poznaješ *moje* roditelje.	You know my parents.
On poznaje *tvoje* roditelje.	He knows your parents.
Ja poznajem *njegove* roditelje.	I know his parents.

4. The declension of the possessive pronoun svój, a, e

Singular (jednina)		
Muški rod (masculine)	**Ženski rod (feminine)**	**Srednji rod (neuter)**
N. svój	svój-a	svój-e
G. svòj-ega, svóg(a)	svòj-e	svòj-ega, svóg(a)
D. svòj-emu, svóm(u)	svòj-oj	svòj-emu, svóm(u)
A. svój or svòj-eg(a)	svòj-u	svòj-e
V. svój	svój-a	svòj-e
L. svòj-em(u), svóm-u	svòj-oj	svòj-emu, svóm(u)
I. svòj-im	svòj-om	svòj-im

Plural (množina)		
N. svòj-i	svòj-e	svòj-a
G. svòj-ih	svòj-ih	svòj-ih
D. svòj-ima, svòji-m	svòj-ima, svòj-im	svòj-ima, svòj-im
A. svòj-e	svòj-e	svòj-a
V. svòj-i	svòj-e	svòj-a
L. svòj-im(a)	svòj-im(a)	svòj-im(a)
I. svòj-im(a)	svòj-im(a)	svòj-im(a)

5. The word sám

The word *sam* has a double meaning: 1) osobno, glavom, ne drugi mjesto mene (I myself, in person, not through an agent; In Latin: *ipse*), and 2) osamljen, jedini (alone, isolated, lonely; in Latin: *solus*). e.g.

1. Učinio sam to *sam* (I did it myself, I did it single handed), and
2. Bio sam *sám* (I was alone).

In this lesson the word *sam* is used as a pronominal adjective (osobno, glavom), e.g.

Baš takvu sam te stvorio I myself have created you such as
  sám you are

Jer čini mi se da sam cijelog svog života
Baš takvu ženu želio *sám*

For it seems to me that throughout my whole life
I myself have desired such a wife

Exercises

Translation from Lesson 28:
(I)
1. Ùzmi òvu knjìgu, òvu knjìgu óvdje, u mòjoj rúci.
2. Dáj mi tú knjìgu, tú knjìgu u svòjoj dèsnoj rúci.
3. Dáj mi ònu knjìgu, ònu knjìgu óndje.
4. Tkò je ònaj vìsoki čòvjek tàmo prijéko?
5. Čìja je òva òlovka, tvòja ili mòja?

30. vjèžba (Tŕideseta vjèžba)

DO VIĐÉNJA ÌDUĆE GÒDINE

Stjèpan: Prtljága je u àutobusu. Svè je u rédu.

Šòfer: Mòlim pútnike da úđu u àutobus za Čìlipe. Pòlazimo za pét minúta.

Àna: Ùskoro lètite u Amèriku!

Mary: Žào mi je što nàpuštamo òvu ljepòtu: súnce i móre. Tòliko smo slùšali o stárom kràju, ali nísmo mnògo ò njemu znàli. Htjèli smo da i nàša djèca upòznaju zèmlju svòjih prèdaka. Zàto smo dòšli u **Hrvatsku.**

Joseph: Sàda známo da je stári kráj – Hŕvatska – zèmlja neòbično lijépa i pùna prírodnih bogàtstava. Naùčili smo ì to da je njézina kultúra i tràdicija bògata i stára, te da ìma slávnu pòvijest. Mìslili smo da je to siròmašna zèmlja, a sàd vidimo kàko se òna bŕzo ràzvija.

189

John: Pònosni smo na zèmlju nàših ròditelja. Nàšim prìjateljima u Amèrici pričat ćemo svè što smo vidjeli. Dòbro ćemo naùčiti hŕvatski jèzik i pònovno dóći u stári kráj.

Jane: Pokázat ćemo im i fìlm!

Stjèpan: Vèć smo na àerodromu. Jòsipe, kúpi slàdoled za tvòje prijatelje i bràću.

Edward: Èno avióna! Ìvane, Àntune – vìdite li avìon? Njìme lètimo u Ènglesku, a ònda u Amèriku. Jòsip pùtuje s nàma u Amèriku – bit će nàš góst gòdinu dána.

Mary: Hvála vam na svèmu!

Stjèpan: Do viđénja iduće gòdine. Srètan pút u Amèriku!

Svì: Do viđénja!

Words and phrases

tridese^ti, a, o	– the thirtieth
idući, a, e	– next
godina (f.)	– year
do viđenja iduće godine	– so long (till) next year

prtljaga (f.)	– luggage
sve je u redu	– everything is all right
šofer (m.)	– driver
putnik (m.)	– passenger
ući (uđem)	– to enter, to get into
Ćilipi (pl.)	– Ćilipi, a small place near Dubrovnik, to-day an aerodrome
molim putnike da uđu u autobus	– will the passengers please get into the bus
polaziti (polazim)	– to leave, to start, to set off
polazimo za pet minuta	– we are leaving in five minutes
letjeti (letim)	– to fly
uskoro letite u Ameriku	– you are flying for America soon
žao mi je	– I am sorry
napustiti (napuštam)	– to leave
žao mi je što napuštamo ovu ljepotu	– I am sorry that we are leaving this beauty
toliko	– so much
slušati (slušam)	– to listen to
znati (znam)	– to know
nismo mnogo o njemu znali	– we did not know much about her
upoznati (upoznam)	– to get to know
svoj, a, e	– his
predak (m.)	– ancestor, progenitor
zato	– therefore
doći (dolazim)	– to come; the active past participle of the verb dóći is dòšao, dòšla, dòšlo – dòšli, e,a
Jugoslavija (f.)	– Yugoslavia
zato smo došli u Jugoslaviju	– because of that we came to Yugoslavia
neobičan, neobična, o	– unusual
prirodni, a, o	– natural
bogatstvo (n.)	– riches, wealth, resources
puna prirodnih bogatstava	– full of natural resources
naučiti (naučim)	– to learn
tradicija (f.)	– tradition
te	– and
slavan, a, o	– famous
povijest (f.)	– history
malen, a, o	– small, little

siromašan, a, o	– poor
kako	– how
kako se ona brzo razvija	– how fast it is developing
ponosan, a, o	– proud
ponosni smo	– we are proud
ponovno	– again
film (m.)	– film
pokazati (pokazujem)	– to show
pokazat ćemo im i film	– we will show them the film too
aerodrom (m.)	– aerodrome, air-port
sladoled (m.)	– ice-cream
braća (pl.)	– brothers-
avion (m.)	– aeroplane
njime letimo u Englesku	– we are flying to England in it
Engleska (f.)	– England
godina (f.)	– year
godinu dana	– for a year
hvala vam na svemu	– thank you for everything
sretan, a o	– happy
sretan put	– have a good trip

Conversational expressions

do viđenja iduće godine	– so long (till) next year
sve je u redu	– everything is all right
ponosni smo	– we are proud
godinu dana	– for a year
hvala vam na svemu	– thank you for everything
sretan put	– have a good trip

DICTIONARY
RJEČNIK

1. GREETINGS – EVERYDAY EXPRESSIONS – – SHOPPING

POZDRAVI – SVAKIDAŠNJI IZRIČAJI – – KUPOVANJE

Greetings (Pozdravi)*

good morning	dobro jutro
good day (greeting from late morning to late evening)	dobar dan
good evening	dobar večer
good night	laku noć
so long	do viđenja
good-bye	zbogom
cheerio, hi, hello	zdravo (used when greeting or leaving a person, like Italian *ciao*)
my name is	zovem se
sir (in address); mister	gospodin
madam (in address); lady	gospođa
comrade (to a man)	drug
comrade (to a woman)	drugarica
this is Mr. Tomičić	ovo je gospodin Tomičić
this is Mrs. Tomičić	ovo je gospođa Tomičić
this is comrade Tomičić	ovo je drug Tomičić
this is comrade Tomičić	ovo je drugarica Tomičić
pleased to meet you	drago mi je što sam vas sreo
how are you?	kako ste?
very well, thank you	hvala, vrlo dobro
and you?	a vi?
extremely well, excellent	izvrsno
come in	uđite
where do you come from?	odakle ste?
where have you been?	gdje ste bili?
where are you going?	kamo idete?
do you speak Croatian?	govorite li hrvatski?, da li govorite hrvatski?

* For the pronuciation rules see pp. 16–48 of this book.

yes, a little	da, malo
I understand	razumijem
I do not understand	ne razumijem

Everyday expressions (Svakidašnji izričaji)

yes	da
no	ne
perhaps	možda
I know	znam
I do not know	ne znam
excuse me, please	oprostite, molim
thank you; thanks	hvala vam; hvala
thank you very much	hvala lijepa
with pleasure	rado, sa zadovoljstvom
please	izvolite
you are very kind	vrlo ste ljubazni
I am very grateful to you	vrlo sam vam zahvalan
I am sorry	žao mi je
don't worry	ne brinite
come here	dođite ovamo
what is the matter?	što je?
wait a moment	pričekajte malo
everything is all right	sve je u redu

Shopping (Kupovanje)

what is this?	što je to?
what is that called?	kako se to zove?
how much is it?	koliko to košta (stoji)?
what is the price of that?	kolika je tome cijena?
here is	ovdje je
here are	ovdje su
to pay	platiti
I would like to pay, please	platiti, molim
paying-desk, cash-desk	blagajna
at the paying desk	na blagajni
please pay at the paying desk	izvolite platiti na blagajni
the bill, please	molim račun
take the bill, please	izvolite račun

2. FOOD AND DRINK
HRANA I PIĆE

In the Restaurant: Breakfast, Lunch and Dinner
U restoranu: Doručak, objed i večera

Breakfast (Doručak, zajutrak)

good morning	dobro jutro
what have we got for breakfast, please	molim vas, što imamo za doručak
coffee	kava
coffee with milk	bijela kava
black coffee	crna kava
butter	maslac
jam	džem
bread	kruh
rolls	pecivo
milk	mlijeko
tea	čaj
tea, please	molim čaj
tea with milk, please	molim čaj s mlijekom
tea with lemon, please	molim čaj s limunom
tea with rum, please	molim čaj s rumom
give me white coffee, please	molim, dajte mi bijelu kavu
give me black coffee, please	molim, dajte mi crnu kavu

Objed (Lunch)

good day	dobar dan
take a seat, please; please (do) sit down	izvolite sjesti
I am hungry (m.)	gladan sam
I am hungry (f.)	gladna sam
I am thirsty (m.)	žedan sam
I am thirsty (f.)	žedna sam

let's have something to drink	idemo nešto popiti
waiter, please	konobar, molim vas
what do you drink?	što pijete?
I should like an aperitif	želim aperitiv
would you like a liqueur, a vermouth, a brandy?	želite li likera, vermuta, rakije?
brandy	rakija
plum brandy (speciality of the country)	šljivovica
cognac	konjak
your health	na zdravlje
cheers	živjeli
what have you got for lunch?	što imate za objed?
here is the menu, please	izvolite jelovnik
can you recommend a local dish	možete li preporučiti neko domaće jelo?
cold cuts; slices of various sorts of sausages, salamis, ham or cheese eaten as the first course of the meal (hors d'ouvre)	hladni naresci
smoked ham (speciality of the country)	pršut
good appetite	dobar tek, u slast
soup	juha
chicken soup	pileća juha
vegetable soup	juha od povrća
beef soup	goveđa juha
tomato soup	juha od rajčica
beer	pivo
mineral water	mineralna voda
lemonade	limunada
lemonade with ice	limunada s ledom
soda-water	soda
fruit juice	voćni sok
wine	vino
white wine	bijelo vino
red wine	crveno vino
dry wine	trpko vino
sweet wine	slatko vino
give me a bottle of wine (mineral water), please	molim, dajte mi bocu vina (mineralne vode)

198

a glass of beer, please	čašu piva, molim
a pint of beer, please	kriglu piva, molim
please have some wine	izvolite vina
do you have a good local wine?	imate li dobro domaće vino?
kutjevački burgundac, the name of a red or white wine	kutjevački burgundac
dingač, the name of a very rich wine from Dalmatia	dingač
prošek, very rich sweet dessert wine	prošek
bakarska vodica, fruity and sparkling wine	bakarska vodica
chicken	pilići
deep-fried spring-chicken (speciality of the country)	pohani pilići
duck	patka
turkey	puran
purica s mlincima, young turkey with special pastry called »mlinci« (pastry is rolled out and then baked or roasted)	purica s mlincima

veal	teletina
roast veal	pečena teletina, teleće pečenje
veal chop	teleći odrezak
pork	svinjetina
roast pork	pečena svinjetina, svinjeće pečenje
pork chop	svinjeći odrezak
beef	govedina
fillet of beef	goveđi odrezak
beefsteak	biftek
egg	jaje
scrambled-eggs	kajgana
nadjevena paprika (stuffed peppers); green peppers stuffed with minced meat and rice	nadjevena paprika
sarma; pickled cabbage leaves rolled and filled with minced meat	sarma
duveč, stew made of rice, tomatoes, green peppers, carrots and French beans	đuveč

rissoto	rižoto
this is our national dish	to je naše narodno jelo
fish	riba
trout	pastrva
pike	štuka
crayfish	riječni (slatkovodni) rak
sheathfish	som
carp	šaran
sturgeon	jesetra
perch	grgeč
bream	deverika
herring	sleđ, haringa
oyster	oštriga
John Dory	kovač
bass	luben (brancin)
mullet	cipalj
dental	zubatac
plaice	list, iverak, švoja
sole	list
gilt-head	orada
mussel	školjka, mušula
ink fish, squids, calamary	lignja, lignje
lobster	jastog
cuttle-fish	sipa
eel	ugor, jegulja
tunny, tuna	tuna
ray	raža
sardine, anchovy	srdjela, sardina
prawns or shrimps or scampi	skampi
mackerel	skuša, lokarda
cod	bakalar
sprat	sleđica
scallop-shell	jakovska kapica (školjka)
vegetables	povrće
potatoes	krumpir
rice	riža
carrots	mrkva
cabbage	zelje, kupus
peas	grašak
French beans	mahune
beans	grah
salad	salata
lettuce	zelena salata
cucumbers	krastavci

200

beetroot	cikla
tomatoes	rajčica, paradajz
capsicum, green peppers, red peppers	paprika
onions	luk
beans	grah
cabbage	zelje
sour cabbage	kiselo zelje
mixed salad	miješana salata
oil	ulje
vinegar	ocat
cake	kolač
studel; kind of pastry made of rolled out paste filled with fruit	savijača
apple strudel	savijača od jabuka
cheese strudel	savijača od sira
cherry strudel	savijača od trešanja
fruit	voće
fruit-salad	voćna salata
apple	jabuka
pear	kruška
plum	šljiva
grapes	grožđe
apricot	kajsija
peach	breskva
cheese	sir
tea	čaj
coffee	kava
turkish coffee	turska kava
white coffee	bijela kava
how much is the lunch?	koliko stoji (košta) objed?

Dinner (Večera)

good evening	dobar večer, dobra večer, dobro veče
waitress	konobarica

would you like to have dinner?; do you want to have dinner?	hoćete li večerati?
would you like something to eat?; do you want something to eat	hoćete li nešto pojesti?
is that table free?	je li onaj stol slobodan?
what have you got for dinner?	što imate za večeru?
what would you like to eat?	što želite jesti?
we can order ćevapčići and ražnjići	možemo naručiti ćevapčiće i ražnjiće
a portion of ćevapčići, please	molim porciju ćevapčića
a portion of ražnjići, please	molim porciju ražnjića
ćevapčići (pl.); tiny rolls of ground meat grilled and served with chopped raw onions	ćevapčići
ražnjići (pl.); bits of pork grilled on a skewer and served with chopped raw onions	ražnjići
mutton, lamb	janjetina
lamb roasted on a spit	janjetina na ražnju
suckling pig	odojak
suckling pig roasted on a spit	odojak na ražnju
duck	patka
duck roasted on a spit	patka na ražnju
snipe	šljuka
what would you like to drink?	kakvo piće želite?
will you please bring	molim (vas), donesite
a bottle of beer, please	molim bocu piva
a bottle of wine, please	molim bocu vina
a litre (liter) of wine, please	molim litru vina
a glass of wine, please	molim čašu vina
immediately, at once	odmah
thank you for the dinner	hvala na večeri
it was excellent	bila je izvrsna
good-night	laku noć

202

3. IN THE HOTEL (U HOTELU)

welcome	dobro došli
welcome to Zagreb	dobro došli u Zagreb
I want a single room	želim jednokrevetnu sobu
I want a double room	želim dvokrevetnu sobu
I want a room with two beds, with a double bed	želim sobu s dva kreveta, s dvostrukim krevetom
I want a room for one night	želim sobu za jednu noć
I want a room with a balcony	želim sobu s balkonom
I want a room with a view of the sea	želim sobu s pogledom na more
I want a room with a bathroom	želim sobu s kupaonicom
I want a room on the first floor	želim sobu na prvom katu
can I see the room?	mogu li vidjeti sobu?
how much do you charge per day?	koliko računate na dan?
this is a beautiful room	to je divna soba
I will take this room	uzet ću ovu sobu
can I have this room for the night	mogu li ovu sobu dobiti za noć?
can I have breakfast in my room?	mogu li doručkovati u svojoj sobi?
can we have an English breakfast?	možemo li dobiti engleski doručak?
when does the hotel close?	kada se hotel zatvara?
is it open the whole night?	je li otvoren cijelu noć?
please post this letter	molim, otpremite ovo pismo; molim predajte ovo pismo na poštu
please put the stamps on	molim, prilijepite marke
please put it on my bill	molim vas, stavite to na moj račun
have my bill made out, please	molim vas, sastavite moj račun
how much is my bill?	koliko iznosi moj račun?
tip	napojnica

here is a tip for the cham- ber-maid	ovo je napojnica za sobaricu
we have enjoyed our stay	imali smo ugodan boravak
so long till next year	do viđenja iduće godine
thank you and good-bye	hvala i zbogom
have a good trip	sretan put

4. IN THE BANK (U BANCI)

where can I change my money?	gdje mogu promijeniti novac?
where is there a bank?	gdje je banka?
where is there an exchange office?	gdje je mjenjačnica?
is there a bank near here?	da li se u blizini nalazi banka?
is there an exchange office near here?	da li se u blizini nalazi mjenjačnica?
can I change a hundred dollars?	mogu li promijeniti sto dolara
what is the rate of exchange?	koji je tečaj mijenjanja novca?
please give me large bank-notes	molim, dajte mi velike banknote
I should like small change, please	molim, dajte mi sitan novac
I have traveller's cheques	imam putničke čekove
can you cash this cheque for me?	možete li mi promijeniti ovaj ček?
I have a letter of credit on your bank	imam kreditno pismo za vašu banku
I want to draw ten pounds on this letter of credit	želim podići deset funti s ovog kreditnog pisma
how does the dinar compare with the dollar?	kakav je odnos dinara i dolara?
how does the dinar compare with the lira?	kakav je odnos dinara i lire?

5. TIME – THE DAYS OF THE WEEK – THE NAMES OF THE MONTHS – SEASONS AND POINTS OF THE COMPASS – THE WEATHER

VRIJEME – DANI U TJEDNU – IMENA MJESECI – GODIŠNJA DOBA I STRANE SVIJETA – VRIJEME

Time (Vrijeme)

what is the time?	koliko je sati?
it is noon	podne je
it is midnight	ponoć je
it is one o'clock	jedan sat
it is two o'clock	dva sata
it is five o'clock	pet sati
it is half past one	pola dva, jedan i po
it is a quarter past two	dva i četvrt
it is a quarter to three	četvrt do tri
it is five past three	tri (sata) i pet (minuta)
it is twenty to four	dvadeset (minuta) do četiri
morning	jutro
day	dan
midday	podne
afternoon	poslije podne
evening	večer
night	noć

The Days of the Week (Dani u tjednu, sedmici)

Sunday	nedjelja
Monday	ponedjeljak
Thuesday	utorak
Wednesday	srijeda
Thursday	četvrtak
Friday	petak
Saturday	subota

today	danas
tomorrow	sutra
the day after tomorrow	prekosutra
yesterday	jučer
the day before yesterday	prekjučer

The Names of the Months (Imena mjeseci)

(SERB)

January	siječanj (januar)
February	veljača (februar)
March	ožujak (mart)
April	travanj (april)
May	svibanj (maj)
June	lipanj (juni)
July	srpanj (juli)
August	kolovoz (august)
September	rujan (septembar)
October	listopad (oktobar)
November	studeni (novembar)
December	prosinac (decembar)

what is the date today?	koji je danas datum?
today is 1st August 1969	danas je prvi kolovoza 1969. (1.8.1969. or 1. VIII 1969.)
today is the fifth of July	danas je peti srpnja

Seasons and Cardinal Points (Godišnja doba i strane svijeta)

spring	proljeće
summer	ljeto
autumn	jesen
winter	zima
east	istok
west	zapad
north	sjever
south	jug

north-east	sjeveroistok
north-west	sjeverozapad
souh-east	jugoistok
south-west	jugozapad
east	istočno (adjective)
west	zapadno
north	sjeverno
south	južno
north-east	sjeveroistočno (adjective)
north-west	sjeverozapadno
south-east	jugoistočno
south-west	jugozapadno

The Weather (Vrijeme)

what is the weather like today?	kakvo je danas vrijeme?
the weather is fine	vrijeme je lijepo
the weather is beautiful	vrijeme je krasno
it is a lovely day today	danas je krasan dan
it is sunny	sunčano je
the sun is shining	sunce sija
it is warm	toplo je
it is hot	vruće je
it is very windy	vrlo je vjetrovito
it is cold	hladno je
the weather is uncertain	vrijeme je nestalno
I think it is going to rain	mislim da će padati kiša
it is raining	kiša pada
I think we shall have a thunderstorm	mislim da će biti oluje
but it's going to be nice tomorrow	ali će sutra biti lijepo vrijeme

6. NUMERALS (BROJEVI)

a) Cardinal Numerals (Glavni brojevi)

one	jedan (m.) čovjek
	jedna (f.) žena
	jedno (n.) dijete
two	dva (m.) čovjeka
	dvije (f.) žene
	dva (n.) djeteta
three	tri (m.) čovjeka
	tri (f.) žene
	tri (n.) djeteta
four	četiri
five	pet
six	šest
seven	sedam
eight	osam
nine	devet
ten	deset
eleven	jedanaest
twelve	dvanaest
thirteen	trinaest
fourteen	četrnaest
fifteen	petnaest
sixteen	šesnaest
seventeen	sedamnaest
eighteen	osamnaest
nineteen	devetnaest
twenty	dvadeset
twenty-one	dvadeset i jedan
	(*or* dvadeset jedan)
twenty-nine	dvadeset i devet
	(*or* dvadeset devet)
thirty	trideset
forty	četrdeset

fifty	pedeset
sixty	šezdeset
seventy	sedamdeset
eighty	osamdeset
ninety	devedeset
a hundred	stotina (*or* sto)
a hundred and thirteen	sto i trinaest (*or* sto trinaest)
two hundred	dvije stotine (*or* dvjesta)

two hundred and fifty
    three
	dvije stotine i pedeset tri (*or*
	    dvije stotine pedeset tri *or*
	    dvjesta pedeset tri)

three hundred	tri stotine (*or* trista)
four hundred	četiri stotine (*or* četiristo)
five hundred	pet stotina (*or* petsto)
six hundred	šest stotina (*or* šesto)
seven hundred	sedam stotina (*or* sedamsto)
eight hundred	osam stotina (*or* osamsto)
nine hundred	devet stotina (*or* devetsto)
a thousand	tisuća (hiljada)
a thousand and one	tisuću i jedan (*or* tisuću jedan)
a thousand and three	tisuću i tri (*or* tisuću tri)
two thousand	dvije tisuće
three thousand	tri tisuće
four thousand	četiri tisuće
nine thousand	devet tisuća
a million	milijun
two million	dva milijuna
three million	tri milijuna
nine million	devet milijuna
a billion	milijarda
two billion	dvije milijarde
five billion	pet milijardi

a half	polovina
a quarter	četvrtina
three quarters	tri četvrtine
one-third	trećina
two-thirds	dvije trećine
one-fifth	petina
one-sixth	šestina
one-seventh	sedmina
a dozen	tucet
half a dozen	pola tuceta

b) Ordinal numerals (Redni brojevi)

1st	prvi, a, o*
2nd	drugi, a, o
3rd	treći, a, e
4th	četvrti, a, o
5th	peti, a, o
6th	šesti, a, o
7th	sedmi, a, o
8th	osmi, a, o
9th	deveti, a, o
10th	deseti, a, o
11th	jedanaesti, a, o
12th	dvanaesti, a, o
13th	trinaesti, a, o
14th	četrnaesti, a, o
15th	petnaesti, a, o
16th	šesnaesti, a, o
17th	sedamnaesti, a, o
18th	osamnaesti, a, o
19th	devetnaesti, a, o
20th	dvadeseti, a, o
21st	dvadeset i prvi (*or* dvadeset prvi)
29th	dvadeset i deveti (*or* dvadeset deveti)
30th	trideseti

* Ordinal numerals are definite adjectives.

40th	četrdeseti
50th	pedeseti
60th	šezdeseti
70th	sedamdeseti
80th	osamdeseti
90th	devedeseti
100th	stoti
113th	sto trinaesti
200th	dvjestoti
250th	dvjesta pedeseti
253rd	dvjesta pedeset treći
300th	tristoti
400th	četiristoti
500th	petstoti
600th	šestoti
700th	sedamstoti
800th	osamstoti
900th	devetstoti
1000th	tisućiti, hiljaditi
1001st	tisuću prvi
1003rd	tisuću treći
2000th	dvije tisućiti
	(*or* dvije hiljaditi)
3000th	tri tisućiti
	(*or* tri hiljaditi)
4000th	četiri tisućiti
	(*or* četiri hiljaditi)
9000th	devet tisućiti
	(*or* devet hiljaditi)
1 000 000th	milionti (*or* milijunti)
2 000 000th	dva milionti
	(*or* dva milijunti)
3 000 000th	tri milionti
	(*or* tri milijunti)
9 000 000th	devet milionti
	(*or* devet milijunti)
1 000 000 000th	milijarditi
2 000 000 000th	dvije milijarditi
5 000 000 000th	pet milijarditi

PHRASE BOOK FOR TOURISTS
RJEČNIK FRAZA ZA TURISTE

a	and
àerodrom (m.)	aerodrome, air-port
àgáva (f.)	agave, tropical plant
àko	if
àli	but
amèrički, a, o	American
Amèrika (f.)	America
Amerikánac (m.)	an American
Ànindol (m.)	Anindol, the name of a park in Samobor
ansàmbl. (m.)	ensemble
atèlje (m.)	sculptor's studio
Aténa (f.)	Athens
hřvatska Aténa	the Croatian Athens
atmosféra (f.)	atmosphere
atràkcija (f.)	attraction
àuto (m.)	car, automobile; *auto* is the shortened form of *automobile*
àutocesta (f.)	motorway, road, highway
àutobus (m.)	bus
àutobusom	by bus
automòbil (m.)	car, automobile
u automòbilu	in the car
automòbilom	by car
avìon (m.)	aeroplane

215

báka (f.)	grandmother
bàlkon (m.)	balcony
na balkónu bákine kùće	on the balcony of Grandmother's house
bán (m.)	viceroy, governor, ban; ban – title of the governor of Croatia in Austrian times
bánka (f.)	bank
u bánci	in the bank

bánski, a, o	governor's, ban's
bàrokni, a, o	baroque
bàrokna zgrada	baroque building; a building built in baroque style
bàš	just, exactly, quite, precisely
bàzen (m.)	swimming-pool
bȉftek (m.)	beefsteak
bijél, bijéla, bijélo (definite adjective)	white
bijéli, bijéla, bijélo (indefinite adjective)	white
bȋlje (n.)	plants, herbs
bȋljka (f.)	plant
bȋljka penjàčica (f.)	creeper, climbing plant, climber
bȉstar, bȉstra, o	transparent
blàgajna (f.)	paying-desk, cash-desk, box-office
na blàgajni	at the paying desk, at the box-office
izvòlite plátiti na blàgajni	please pay at the paying-desk
blàgajnica (f.)	woman-cashier
blagovaònica (f.)	dining-room
blijéd, a, o	pale
bòca (f.)	bottle
mòlim vas bòcu píva	a bottle of beer, please
bògat, a, o	rich
bogàtstvo (n.)	riches, wealth, resources
bòja (f.)	colour
u kòjoj bòji?	what colour?
bòlestan, bòlesna, o	sick, ill
bór (m.)	pine
bòrba (f.)	fight
bòriti se (bòrim se)	to fight
bràća (pl)	brothers
bràt (m.)	brother
bràtski, a, o	fraternal
brijég (m.)	hill
na vȓhu brijéga	on the top of a hill
brìnuti se (brȋnem se)	take care of, look after, provide for
bȑnistra (f.)	broom
bród (m.)	boat, ship
brój (m.)	number
bȑzo	quickly
bugenvȉlija (f.)	bougenvillea

216

C   C

cèntar (m.)	centre
cèsta (f.)	motorway, road, highway
cigarèta (f.)	cigarette
žèlite li cigarètu?	do you want a cigarette?
cijél, a, o	whole
po cijéloj zèmlji	through the whole country
cŕkva (f.)	church
cŕn, cŕna, cŕno	black
cŕni, a, o	black
cŕven, crvèna, o	red
cŕveni, a, o	red
cvijéće (pl.)	flowers

Č   Č

čàj (m.)	tea
čàk	even
čèkati (čèkam)	to wait; to queue, to stand in a line; mi te óvdje čèkamo – we will wait for you here, ròditelji nas čèkaju – our parents are waiting for us; čèkati u rédu – to wait in a queue, to stand in a line
čèmpres (m.)	cypress
čésto	often
čètiri	four
čètiristo *or* čètiri stòtine	four hundred
četr̀naesta (f.)	fourteenth
čètvrta (f.)	fourth
čìniti se (čìnim se); čìni mi se	seem, appear, look like; it seems to me, I think
činòvnik (m.)	official, clerk, government official, public servant
čìst, a, o	clean
čìtati (čìtam)	to read
čìtav, a, o	whole, entire, complete

člán (m.)	member
čòvjek (m.)	man
čùven, čuvèna, čuvèno	famous
čuvèna po	famous for

Ć Ć

ćevàpčići (pl.)	ćevapčići; tiny rolls of ground meat broiled and served with chopped raw onions

D D

dà	if, that, yes
da ìmamo vrȅmena	if we had time
dàkle	then, hence, therefore
Dàlmacija (f.)	Dalmatia, the southern part of Croatia
dalmàtinski, a, o	Dalmatian, from Dalmatia
dalmàtinski dìngač (m.)	the name of a red wine from Dalmatia
dàlje	further, further on
màlo dàlje	a little further on
daljìna (f.)	distance
u daljìni	in the distance
dán (m.)	day
dòbar dán	good day (literal translation); svàki dán – every day
dànas	today
dár (m.)	present, gift
dàti (dám)	to give
dèset	ten
dèseta (f.)	tenth
dèsni, a, o	right-hand
devedèset	ninety
dèvet	nine
dèveta (f.)	ninth
devètnaesta (f.)	nineteenth
dijéte (n.)	child

dìnar (m.)	dinar
dîo (m.)	part
dìrektor (m.)	director
dívan, dívna, o	marvellous, wonderful, gorgeous, splendid, beautiful
dívno	wonderfully, marvellously
to je dívno	that is marvellous
djèca (pl.)	children
djèco – children: *djèco* is the vocative plural of the word *dijète* (n.)	
djèčak (m.)	boy
héj, djèčače	hello, boy; listen, boy
djèd (m.)	grandfather
djèlo (n.)	work, product, creation, work of art
djevòjčica (f.)	a little girl; *djevojčica* is a diminutive of the word djevojka (girl)
djèvojka (f.)	girl
do	till, to
dòbar, dòbra, o	good
dòbiti (dòbijem)	to get, to obtain
dòbro	well, good, fine
vȑlo dòbro	very well, just fine; hvála, dòbro – thank you, very well; thanks, fine
dóći (dóđem)	to come
dòbro dòšli	welcome
dòlar (m.)	dollar
dòlazak (m.)	arrival
dòlaziti (dòlazim)	to come, to arrive
dòlje	down, below
dóm (m.)	home
dòmaći, a, e	domestic, home-made
domàćin (m.)	host
dòmovina (f.)	homeland, native country, mother country, fatherland
donèsti (donèsem)	to bring
mòlim vas, donèsite	will you please bring
dònijeti (donésem)	to bring
dòručak (m.)	breakfast
dòručak je gòtov	breakfast is ready; štò ìmamo za dòručak? – what have we got for breakfast?; za dòručak ìma – breakfast consists of

dòsad	up to now, so far
dòsta	fairly, rather
dòsta dòbro	fairly well
do viđénja	so long
do viđénja sùtra	so long (till) tomorrow
drág, a, o	dear, favourite, glad
drágo mi je	I am glad; i nàma je drágo – we are glad too
drúg (m.)	friend, colleague
drùgi, a, o	the second; the other, the others, else, another
dȑvo (n.)	tree
dùbrovački, a, o	from Dubrovnik
Dùbrovnik (m.)	Dubrovnik, a town in Croatia in the southern Adriatic
dúž	along
dvá	two
dvádeseta (f.)	twentieth
dvádeset čètvrta (f.)	the twenty fourth
dvádeset drùga (f.)	the twenty second
dvádeset dèveta	the twenty ninth
dvádeset òsma (f.)	the twenty eighth
dvádeset pét	twenty five
dvádeset péta (f.)	the twenty fifth
dvádeset pȑva (f.)	the twenty first
dvádeset sédma (f.)	the twenthy seventh
dvádeset šésta (f.)	the twenty sixth
dvádeset trèća (f.)	the twenty third
dvánaesta (f.)	twelfth
dvór (m.)	court, castle
Bánski dvóri	the Governor's Palace
dvórac (m.)	castle
dvoràna (f.)	hall
dvòrište (n.)	yard

220

Dž

džèm (m.)	jam

| đák (m.) | pupil |

elegàntan,. elegàntna, o	elegant
Èngleska (f.)	England
èngleski, a, o	English
na èngleskom	in English
Ȇngleskinja (f.)	Englishwoman, English lady
Ènglez (m.)	an Englishman
èno	look, there, see, see there
èno je tàmo	look, there she is
èvo	look, there, look there, see, see there
èvo, izvòlite	here you are
Evrópa (f.)	Europe

221

festìval (m.)	festival
Dùbrovački festìval (m.)	the Dubrovnik festival
fȉlm (m.)	film
o fȉlmu	about the film; što misliš o filmu? – what do you (s.) think about the film?
fotògrafski apàrat (m.)	camera

| gájiti (gájim) | to foster, to nourish |
| gàleb (m.), gàlebovi or gàlebi (pl.) | sea-gull |

galèrija (f.)	gallery
gdjè	where
gdjè je?	where is?; gdjè su? – where are?
gládan, gládna, o	hungry
jèste li gládni?	are you hungry?
glàsilo (n.)	organ, party paper
glasòvit, a, o	famous
glàvni, a, o	main
glávom	in person
sám glávom	in person, personally
glè	look
glúmac (m.)	actor
glùmica (f.)	actress
glúmiti (glúmim)	to act
gòdina (f.)	year
gòdinu dána	for a year
gòra (f.)	mountain
górnji, a, e	upper
gòspar, gospára (m.)	gentleman
gòspodski, a, o	noble, high, aristocratic
gospòdar (m.)	master
gospòdin (m.)	mister, sir (in address); gentleman
gòspođa (f.)	lady; madam (in address)
góst (m.)	guest
gòtov, a, o	ready
ja sam vèć gòtova (f.)	I am already ready
gòtovo	almost
govòriti (gòvorim)	to speak
govòriti o	to speak about; gòvorim màlo hrvatski – I speak a little Croatian; pa ví vèć gòvorite hrvatski – but you already speak Croatian: gòvorite li hrvatski? – do you speak Croatian?
gòveđi, a, e	beef
gòveđa júha	beef soup
grád (m.)	town, castle, fortress
gràdić (m.)	a small town
gràdišćanski, a, o	from Gradišće (Burgenland in Austria)
gràdišćanski Hrváti	Croats from Gradišće; Croats living in Gradišće are called »gràdišćanski Hrváti«
gramòfonski, a, o	gramophone

222

hej, djèčače	listen, boy; hello, boy
Heràklit	Heraclitus, a psilosopher
hímna (f.)	anthem, hymn
hládan, hládna, o	cold
hòbi (m.)	hobby
hòtel (m.)	hotel
u hotèlu	in the hotel
hrána (f.)	food, nutriment
Hr̀vat (m.)	a Croat
Hr̀vatska (f.)	Croatia
hr̀vatski, a, o	Croatian
Hr̀vatsko národno kazàlište	Croatian National Theatre; Hr̀vatsko prìmorje (n.) – Croatian Littoral; Hr̀vatsko zàgorje – Croatian Zagorye, part of northern Croatia
htjèti (hòću)	to want, to wish
htjèli bismo	we would like
hvála	thank you
hvála vam	thank you

223

i	also, too, and
ìći (ìdem)	to go
ìdi po Edwarda	go and fetch Edward; (mi) ìdemo – we are going
idéja (f.)	idea
to je zàista dòbra idéja	that is really a good idea
ìdući, a, e	next
ìgrati se (ìgram se)	to play
ìli	or
Ìlica (f.)	Ilica, name of a street in Za-greb
ìlirski, a, o	Illyrian
ìmati (ìmam)	to have
ìme (n.)	name

Indijánac (m.)	Red Indian
indùstrija (f.)	industry
institúcija (f.)	institution
iseljènički, a, o	emigrant
iseljènički pìknik	emigrant's picnic
iseljènik (m.)	emigrant
ìspjevati (ìspjevam)	to write a poem, to compose a poem, to make a poem
ispod	under
ispòd nas	under us
ìstinit, a, o	true, authentic
Ìstra (f.)	Istra, a peninsula in the north of Croatia
ìz	from
iz Njèmačke	from Germany
ìza	behind, at the back
iza sèla	behind the village, at the back of the village
izglédati (ìzgledam)	to look, to look like
ìzlet (m.)	excursion, trip, outing
ìzlet u Hȑvatsko zàgorje	an excursion to Croatian Zagorye
ìzletište (n.)	a place where one goes for excursions and trips
ìzletnik (m.)	excursionist, tripper, tourist
ìzmeđu	between
ìznad	above
ìznutra, iznútra	inside
ìzrezan, a, o	chopped, cut
izvòljeti (ìzvolim)	please, here you are; please, here it is
ìzvrstan, ìzvrsna, o	excellent, extraordinary, good, delicious

J   J

já	I
já sam	I am; sa mnom – with me
Jàdran (m.)	the Adriatic
jàdranski, a, o	Adriatic
Jàdranska magistrála (f.)	main Adriatic road, Adriatic motor-way, Adriatic high-way

jàgoda (f.)	strawberry
vòćni sók od jàgoda	strawberry juice
jàko	very, considerably, hard
jào	alas, woe
jèdan	one
jedànaesta (f.)	eleventh
jèdini, a, o	the only one, the only
jèdna od	one of
jèftin, a, o	cheap
jèlen (m.)	deer, stag
jè li to?	is this?
jèlo (n.)	food, meal, dish
jèlovnik (m.)	menu
izvòlite jèlovnik	here is the menu
jer	because
jèsti (jèdem)	to eat
hòćeš li nèšto jèsti?	would you (thou) like something to eat? do you want something to eat?; štò žèliš jèsti? – what would you (s.) like to eat, what do you want to eat?
jèzični, a, o	language
jèzik (m.)	language
jòš	still, yet
jòš jèdnom	once more
jugoìstok (m.)	south-east
júha (f.)	soup
jùnak (m.)	hero
jùtro (n.)	morning
dòbro jùtro	good morning
jùžni, a, o	southern

K   K

kàd	when
kàkav, kàkva, o	what kind (sort) of
kàkav je òvo spòmenik?	what sort of a monument is this?
kàko	how

kàko ste? — how are you (pl.)?; kàko si (ti)? – how are you (s.)?

kàktus (m.) — cactus

kàmen (m.) — stone

kàmo — where, in which direction
kàmo vòdi òva cèsta? — where does this road lead?

kào — like, as
kào i — as, like, and

karànfil (m.) — carnation

kárta (f.) — ticket

kàsnije — later on, afterwords

kàsno — late
kàsno je — it is late; dòsta je kàsno – it is rather late

kàtkada — sometimes

kàva (f.) — coffee

kàzalište (n.) — theatre

kázati (kážem) — to say, to tell

kćéri (pl.) — daughters; kćeri is the plural of the noun kći (daughter)

kćí (f.) — daughter; kćer is the Accusative of kći

kìlometar (m.) — kilometre, kilometer

kíno (n.) — cinema, movie
iz kína — from the cinema, from the movie

kíp (m.) — sculpture

kìpar (m.) — sculptor

kišòvito — rainy

klíma (f.) — climate

knjìževnost (f.) — literature

kòji, a, e — which

kòlač (m.) — cake

kolìko, kòliko — how many, how much

kòlodvor (m.) — railway-station

komàdić (m.) — small piece

komponírati (kompòniram) — to compose

kompòzitor (m.) — composer

kòncertni, a, o — concert (adj.)
kòncertna dvòrana — concert hall

kònobar (m.) — waiter

kònobarica (f.) — waitress

kòntinentalan, kòntinentalna, o — continental

konvèncija (f.) — convention

226

kòšara (f.)
   u kòšari
kóštati
   kòliko to sve kóšta?

kráj (m.)

   na kràju

kraj
králj (m.)
krásan, krásna, o
krèvet (m.)
   u krèvetu
kr̀pa (f.)
   blijéd kao kr̀pa
krùh (m.)
krùmpir (m.)
kr̀v (m.)
kùća (f.)
   kòd kuće

kùhati (kùham)
kúla (f.)
kultúra (f.)
kùlturan, kùlturna, o
kúna (f.)
kúpac (m.)
kùpalište (n.)
   súmporno kùpalište
kúpanje (n.)
kúpiti (kúpim)
kupòvati (kùpujem)
kúrija (f.)

kùtjevački, a, o
   kùtjevački burgúndac

basket
in the basket
to cost
how much does all that cost,
   what is the price of all that?
end; a part of the country (lit-
   erally); home, homeland,
   fatherland
at the end; stári kráj – old
   mother country, old father-
   land; *stári kráj* when used
   by Croatian emigrants in
   America means *Croatia*
near
king
beautiful, nice, handsome
bed
in bed
rag
pale as death
bread
potato
blood
house
at home; izvòlite ù kuću –
   please come into the house
to cook
tower
culture
cultural
kuna
buyer
bathing-place, watering-place
sulphur spa, thermae
swimming, bathing
to buy
to buy
manor house; old aristocratic
   house, country house of
   gentry
from Kùtjevo
the name of a red or white
   wine

làku nóć	good night
làžan, žna, o	false, untrue
lèd (m.)	ice
lètjeti (lètim)	to fly
lijép, lijépa, lijépo	nice, beautiful
òvdje je vȑlo lijépo	it is very nice here; káko je lijép (m.) – how nice it is
lijépo	nice
lijévi, a, o	left
lìker (m.)	liqueur
limunáda (f.)	lemonade
lìtra (f.)	litre (liter), about 1 3/4 pints
Lìvadić	Livadić, a Croatian composer
Lìvadićev dvórac	Livadić's castle
lùk (m.)	onions
lúka (f.)	port
lùtka (f.)	doll

228

ljepòta (f.)	beauty
ljèti	in summer
ljetòvalište (n.)	summer holiday resort
ljúbav (f.)	love
ljùbičast, a, o	violet
ljúdi (pl.)	people

máčak (m.)	male cat, tom-cat
màčka (f.)	cat
magistrála (f.)	motorway, highway, road
májka (m.)	mother
màlen, a, o	small, little
máli	little

màlo	little, a little
màma (f.)	mother, mummy
Márkov tȑg (m.)	St. Mark's Square
màslac (m.)	butter
màšta (f.)	fancy, imagination, fantasy
màterinski, a, o	mother, motherly, maternal
màterinski jèzik	mother tongue, native tongue
màtica (f.)	queen be, mother be, hive, bee-hive; in the name »Hrvatska matica iseljenika« the word *matica* is used as a metaphor and means: centre, core, pith
me	me; *me* is the Accusative of the personal pronoun *ja*
ròditelji me čèkaju	(my) parents are waiting for me
meditèranski, a, o	Mediterranean
mi	we
mijénjati (mijénjam)	to change
minúta (f.)	minute
za pét minúta	in five minutes
mír (m.)	peace
na míru	in peace
mìrisan, sna, o	aromatic, fragrant
mísao, misli (f.)	thought
mìsliti (mìslim)	to think
štò tí mìsliš?	what do you (thou) think?
mjèsto (n.)	place
mjèsto (prep.)	instead of
mlád, a, o	young
mládi, a, o	young
mlijéko (n.)	milk
mnògi, a, o	many
mnògo	much, a lot of, a great deal of
mòdar, mòdra, o	blue
mój, mòja, mòje	my
mòji (m. pl.)	my
mòlim, mòlim vas	please
mòlim vas òvaj cȑveni stólnjak?	give me this red table-cloth, please?
mórati (móram)	must
móre (n.)	sea
móst (m.)	bridge
mòžda	perhaps

229

mútan, mútna, o	muddy
mùzej (m.)	museum
mùzički, a, o	musical
múž (m.)	husband

na	to, on
na móre	to the sea-side; na móstu – on the bridge
nàcionalan, nàcionalna, o	national
nàdesno	on the right
náglo	rapidly, quickly
nàlaziti se (nàlazim se)	to be situated, to be found, to find oneself
nàlazi se	there is; nalaze se – there are
nájljepši, a, e	the most beuatiful
napúštati (nàpuštam)	to leave
náravno	naturally, surely, certainly, of course
nárezak (m.)	cut, a slice of something(ham, sausages, etc.)
hládni náresci (pl.)	cold cuts; slices of various sorts of sausages, salamis, ham or cheese eaten as the first course of the meal (hors d'oeuvre)
národ (m.)	people
národni, a, o	national
narúčiti (nàručim)	to order
nas	us
náslov (m.)	name, title
násljeđe (n.)	tradition
nastúpiti (nàstupim)	to take part in the programme
nasùprot	opposite
nàš, a, e	our
naùčiti (nàučim)	to learn
náziv (m.)	name, title, term
nàzvan, a, o	named, called
ono je nàzvano	it was named (called)
nàzvati (nazòvem)	to name, to call, to get a name

230

nè	not
nèbo (n.)	sky
nèboder (m.)	skyscraper
nèdaleko od	not far off (away) from
nèdavno	recently, lately
nèdjelja (f.)	Sunday
nègo	but
nèkadašnji, a, e	former, sometime
nèki	some
nèkoć	once upon a time
nèkoliko	a few, some
neòbično	unusually
nèšto	something
nètko	someone
Nikola Šùbić Zrìnski	Nikola Šubić Zrinski, the Croatian national hero who fought the Turks; also, the title of the Croatian national opera
nísam	I am not
nísmo	we are not
nìšta	nothing
nìtko, nìkoga	nobody, no one
nóbelovac (n.)	a Nobel prize winner
nóć (f.)	night
làku nóć	good night
nòga (f.)	leg
nòsiti (nòsim)	to wear
nóšnja (f.)	costume
národna nóšnja (f.)	national costume
nòv, a, o	new
nòvi, a, o	new
nòvac (m.)	money

NJ   NJ

---

njègov, a, o	his
Njèmačka (f.)	Germany
njézin, a, o	her
njìhov, a, o	their

o	about
o dòručku	about breakfast
oáza (f.)	oasis
òbala (f.)	coast, shore
òbičan, òbična, o	ordinary, usual
òbjed (m.)	lunch
štò ìma za òbjed	what have we got for lunch?
òbjedovati (òbjedujem)	to have lunch
obláčiti se (òblačim se)	to dress (oneself)
òblačno	cloudy
obùčen, obučèna, o	dressed
od	from
òdakle	where from
òdakle si (ti)?	where do you come from?
òdista	indeed, trully, really
òdlaziti (òdlazim)	to depart, to go away
òdličan, òdlična, o	excellent
to je òdlično	that is excellent
òdmah	presently, immediately, at once, straight off
òdmah, mòlim	I am just coming; I am coming right now
odmàralište (n.)	resting-place, hotel
odřžati (odřžim)	to be held
odřžati se (odřžim se)	to take place, to be held
održávati se (odřžavam se)	to be held, to take place
òko	around, about, round about
oko Sàmobora	around Samobor
òkolica (f.)	neighbourhood, surroundings
iz òkolice Zágreba	from the neighbourhood of Zagreb
òlovka (f.)	pencil
ón, òna, òno	he, she, it
ònaj, òna, òno	that
òno tàmo je	that over there is
onàkav, onàkva, onàkvo	such a one (man, person), of that kind (sort, nature, quality)
ónda, ònda	then
óndje	there
òpera (f.)	opera
Metropòliten òpera	Metropolitan Opera House

232

òpet	again
òrah (m.)	walnut
òrahovo stáblo (n.)	walnut-tree
organizácija (f.)	organization
òrkestar (m.)	orchestra
òsam	eigth
òsamljen	alone
osàmnaesta (f.)	eighteenth
òsma (f.)	eighth
òsim toga	besides
osnòvati (òsnujem)	to found, to set up, to establish
òsobno	personally, in person
òstali, a, o	the others, the rest
òstaviti (òstavim)	to leave
otkrìven, otkrivèna, o	discovered
òtok (m.)	island
otvorénje (n.)	opening
osòbito, òsobito	specially
òvaj, òva, òvo	this
óvdje	here
òvo je	this is

P   **P**

pa	then, so, and, but
pàlača (f.)	palace
pálma (f.)	palm-tree
pàrk (m.)	park
pàrket (m.)	stalls
u parkètu	in the stalls
pečénje (n.)	roast meat
tèleće pečénje	roast veal
pét	five
péta (f.)	fifth
pètnaesta (f.)	fifteenth
píće (n.)	drink
kàkvo píće žèlite?	what would you like to drink?, what sort of drink would you like?
pijétao (m.)	cock; the plural of the noun *pijétao* is *pijétlovi*

bòrba pijétlova	a cock-fight
pìknik (m.)	picnic
pìleći, a, e	chicken
pìlići (pl.)	chicken
pòhani pìlići (pl.)	deep-fried spring-chicken
písac (m.)	writer
pìti (pìjem)	to drink
štò žèlite pìti?	what would you like to drink?, what do you want to drink?; štò pìjete? – what do you drink?
pívo (n.)	beer
pjèsma (f.)	song
pjèsnik (m.)	poet
pjèšice	on foot
pjèvati (pjèvam)	to sing
plàkati (plàčem)	to cry
planìnar (m.)	mountaineer, climber
plátiti (plátim)	to pay
plávi, a, o	blue
plèmićki, a, o	noble, aristocratic
plȅs (m.)	dance
plìvanje (n.)	swimming
bàzen za plìvanje	swimming-pool
plòča (f.)	record, gramophone record
plòčnik (m.)	pavement
po	for
pòčeti (pòčnem)	begin
póći (pódem)	to go, to set off
pódimo	let's go
pod	under, below, beneath, towards, at
pod naslovom	under the title
pòdmladak (m.)	progeny, issue, young people
pódne (n.)	afternoon
pòslije pódne	in the afternoon
pòdno	at the foot
pòdno brijéga	at the foot of the hill
podrijètlo (n.)	origin, stock, extraction
pògled (n.)	view
pògled s balkóna	a view from the balcony
pògledati (pògledam)	to have a look
pòhan, a, o	fried

234

pokázati (pòkažem)	to show
pòkloniti (pòklonim)	to give as a gift, to donate, to present
pòkraj	beside, near
pòlaziti (pòlazim)	to leave, to start, to set off
pòlje (n.)	field
pòljski, a, o	Polish
poljúbiti (pòljubim)	to kiss
pomágati (pòmažem)	to help
pònosan, pònosna, o	proud
pònosni smo	we are proud
pònovno	again
pòpiti (pòpijem)	to drink (up)
ìdemo nèšto pòpiti	let's have something to drink, let's have a drink
žèlite li nèšto pòpiti?	would you like something to drink?
pòpularan, pòpularna, o	popular
pòrcija (f.)	portion, helping
Pòsavina (f.)	Posavina, a part of Croatia along the river Sava
pòsavski, a, o	Posavina, from Posavina
pòsjećen, a, o	visited
pòsjetiti (pòsjetim)	to visit
ìdemo pòsjetiti	we are going to visit
pòsvuda	everywhere, all over
pòšta (f.)	post-office
pòtjecati (pòtječem)	to date from, to date back to, to originate
pòtok (m.)	brook
povésti se (povézem se)	take for a ride (drive)
pòvijest (f.)	history
pòvratak (m.)	way back, return
na pòvratku	on the way back
pòznat, a, o	well-known
poznávati (pòznajem)	to know, to understand, to be acquainted
poznávati se (pòznajem se)	to know one's self
pràti (pèrem)	to wash
pràv, a, o	real, genuine
právi, a, o	real, genuine
prèd	in front of
prèd nama	in front of us
prèdak (m.)	ancestor, progenitor
prèdgrađe (n.)	suburbs, outskirts

235

prèdsjednik (m.)	president
prèdstava (f.)	performance, show
prèkrasan, prèkrasna, o	wonderful, exceptionally bèautiful, grand, gorgeous
prèma	towards
prèma dòmovini	towards the homeland
príča (f.)	story, fable, tale
príčati (príčam)	to tell, to talk
prìjatelj (m.)	friend
prijatèljica (f.)	girl friend
prìje	formerly, previously
prikazívati se (prikàzujem se)	to perform
prímjer (m.)	example
na prímjer	for example, for instance
Prìmorje (n.)	littoral
Hŕvatsko prìmorje (n.)	Croatian Littoral
prírodni, a, o	natural
prodàvač (m.)	selesman, shop-assistant
prodavàčica (f.)	saleswoman, female shop--assistant
prodavaònica (f.)	shop
prodavaònica rukotvòrina	shop where hand-made goods are sold
promijéniti (pròmijenim)	to change
mògu li promijéniti stó dòlara	can I change a hundred dollars
pròstrijeti (pròstrem)	lay, set, spread
pròstrt	laid, set, spread
pròtiv	against
pŕsluk (m.)	waistcoat
prtljága (f.)	luggage
pŕvi, a, o	first
pùn, a, o	full
pút (m.)	way
na pútu do »Màtice«	on the way to »Matica«
pútnik (m.)	traveller, voyager, passenger
putòvati (pùtujem)	to travel
sùtra pùtujemo u Zágreb	we are travelling to Zagreb tomorrow

236

ràčun (m.) — bill

mòlim ràčun — can I have the bill, please; the check, please; izvòlite ràčun – take the bill, please

ráditi (rádim) — to work

štò rádiš — what are you (thou, s.) doing?; štò rádite? – what are you doing?

rádio, rádija (m.) — radio, wireless

ràdo — gladly

vŕlo ràdo — very gladly, very much, with pleasure

ràdost (f.) — happiness, joy

ràkija (f.) — brandy

ràtnik (m.) — warrior

rávno — straight, in direction of

rávno u Splìt — straight to Split

razglédati (ràzgledam) — to have a look around, inspect

razgovárati (razgòvaram) — to talk

o čèmu razgòvarate? — what are you talking about?   **237**

ràzgovor (m.) — talk, conversation

razvesèliti se (razvèselim se) — to cheer up, to gladden, to be delighted

razvíjati se (ràzvijam se) — to develop

ràžnjići (pl.) — ražnjići, bits of pork broiled on a skewer and served with chopped raw onions

rèći (rèčem) — to say, to tell

réd (m.) — queue, line; turn

u rédu — in a queue, in a line; sàd smo mí na rédu – it is our turn now; u rédu – all right

repùblika (f.) — republic

Tŕg bána Jélačića (m.) — Ban Jelačić's Square

restòran (m.) — restaurant

u restoránu — in the restaurant

rijéč (f.) — word

jédnom rijéčju — in a word

rizòto (m.) — rissoto

ród (m.) — descent, birth

ròditelj (m.) — parent

ròditi (ròdim) — give birth to, be delivered of a child

ròditi se	to be born
ròdoljub (m.)	patriot
ròđak (m.)	relative
romàntičan, romàntična, σ	romantic
rúblje (n.)	linen, clothes
rúka (f.)	hand
rukotvòrina (f.)	a hand-made article, thing produced or manufactured by hand
rùski, a, o	Russian
rúža (f.)	rose

S

s, sa	with
Sábor (m.)	Assembly, Parliament
sàd(a)	now
sàgrađen, a, o	built
salàta (f.)	salad
sám, a, o	alone
sàmo	only, nothing else, merely, solely, purely
Sàmobor (m.)	Samobor, a town near Zagreb
Samobórac (m.)	a native of the town of Samobor; also, a popular name for the train which runs from Zagreb to Samobor
u »Samobórcu«	in the »Samoborec« train; mòžemo li ìći »Samobórcem«? – can we go on the »Samoborec« train?
sàmoborski, a, o	Samobor (adj.), from Samobor
sàv, svà, svè	everything
svè je u rédu	everything is all right
savìjača (f.)	strudel, kind of pastry made of rolled out paste filled with fruit
sèdam	seven
sedàmnaesta (f.)	seventeenth
sédma (f.)	seventh
sèlo (n.)	village
sèljak (m.)	peasant

238

sèljanka (f.)	peasant-woman
sèstra (f.)	sister
síći (sídem)	to come down, to go down
sìgurno	certainly, surely, undoubtedly
sín (m.)	son
sínji, a, e	blue
siròmašan, siròmašna, o	poor
sìrov, a, o	raw
sív, a, o	grey
sjèćati se (sjèćam se)	to remember
sjèdište (n.)	seat
sjèditi (sjèdim), sjèsti (sjèd-nem)	to sit down, to take a seat
izvòlite sjèsti, izvòli sjèsti	please (do) sit down, take a seat, please; the form *izvòli* is used in addresing close friends or relatives
skúp, a, o	expensive
slàdak, slàtka, o	sweet, nice
slàdoled (m.)	ice-cream
slávan, slávna, o	famous
Slàvonija (f.)	Slavonia, the eastern part of Croatia
slìčan, slìčna, slìčno	similar, analogous, alike
slijèditi (slijèdim)	to follow, to come after
slijedi kao noć za danom	it follows as the night the day
slìka (f.)	picture
slìkar (m.)	painter
slikòvit, a, o	picturesque
slòbodan, slòbodna, o	free, unoccoupied, unreserved
slùšati (slùšam)	to listen to
slùžben, a, o	official
smìrenost (f.)	appeasement, peace, acquies-cence
smjèti (smìjem)	to be allowed, to dare, ought
nè smije	ought not
snàha (f.)	daughter-in-law
snímiti (snímim)	to shoot
sòba (f.)	room
sók (m.)	juice
vòćni sók	fruit juice
Splìt (m.)	Split, a town on the Croatian coast
spòmenik (m.)	monument
spòminjati se (spòminjem se)	mention
spòminje se	is mentioned

srèća (f.)	happiness
srèbrni, a, o	silver
srèdnji, a, e	central
srètan, srètna, o	happy
srètan pút (m.)	have a good (safe) trip
stáblo (m.)	tree-trunk
stàjati (stòjim)	to cost
stàr, a, o (indefinite adj.)	old
stári, a, o (definite adj.)	old
stárac (m.)	old man
starìna (f.)	thing of a special historic interest, monument
stó	a hundred
stòg(a)	therefore; on that account
stól (m.)	table
stól je pròstrt	the table is laid; na stolu – on the table
stólnjak (m.)	table-cloth
stòljeće (n.)	century
stòtina (f.)	a hundred
strána (f.)	side
s dèsne stráne	on the right-hand side; s lijéve stráne – on the left-hand side
stránac (m.)	foreigner
stríc (m.)	uncle
strijéla (f.)	arrow
Stùbica (f.)	Stubica, a small place in Croatian Zagorye where the famous peasants' rebellion took place (1573)
Stùbičke Tòplice (pl.)	a small place with the spa of Stubičke toplice
stùdent (m.)	student
stvár (m.)	thing, matter
stvòriti (stvòrim)	create, form, make, mould
sùbota (f.)	Saturday
súmporan, súmporna, o	sulphur, sulphurous
súnce (n.)	sun
sùnčano	sunny
sùprug (m.)	husband
sùpruga (f.)	wife
sùptropski, a, o	subtropical
súsjeda (f.)	female neighbour
sùtra (n.)	tomorrow

svàk, a, o	every
svàke sùbote i nèdjelje	every Saturday and Sunday
svè	everything, all
svèkrva (f.)	mother-in-law
svét, a, o	holy
svì	all
svìdjeti (svìdim se)	to please, to appeal to
svíđati se (svíđam se)	to please, to appeal to
vȑlo nam se svíđa	we like it very much, it appeals to us very much
svìđa mi se	I like it
svijét (m.)	world
na svijétu	in the world; iz cijélog svijéta – from all over the world
svijétao, svijétla, o	light, bright
svjétlost (f.)	light
svjètski, a, o	world
svjètski pútnik (m.)	world traveller
svój, svòja, svòje	his, your

Š

šèsnaesta (f.)	sixteenth
šést	six
šésta (f.s.)	sixth
šétnja (f.)	walk
šláger (m.)	pop-song
šljìvovica (f.)	plum-brandy
Šmìdhenov, a, o	Šmidhen's
Šmìdhenovo kùpalište (n.)	Šmidhen's bathing place, Šmidhen's spa
šòfer (m.)	driver
štáp (m.)	stick, walking-stick
štò	what, that
štò je tó?	what is this?; štò prìje – very soon, as soon as posiblé
šuma (f.)	forest, wood

tàda	then
táj (m.), tá (f.), tó (n.)	this
tájnik (m.)	secretary
tàkav, tàkva, tàkvo	such (a), of such kind (sort, manner, shape, size character)
tàko	so
tàko je	that's right, this is so (literal translation)
takóđer	also, too
tambùraški, a, o	tamburitza(n); the adjective *tambùraški* comes from the word *tàmburica* which denotes a kind of musical instrument played in Croatia
tàmo	there
tàda	then
tàta (m.)	daddy, father
tè	and
tèčaj (m.)	course
ték (m.)	appetite
dòbar ték	good appetite
tèk	only, not earlier than, not until
teléći, a, e	veal
teràsa (f.)	terrace
téško	difficult
tètka (f.)	aunt
tí	you (thou)
tìsuća (f.)	a thousand
tjèdan (m.)	week
òvog tjèdna	this week
tkò	who
tlò (n.)	ground
tó	this
tó je	this is, it is
tòliko, tolíko	so much
Tòmislav (m.)	Tomislav, the name of the first Croatian king
tòpao, tòpla, o	warm

242

tòplice (pl.)	spa
toplìna (f.)	warmth
tràdicija (f.)	tradition
trȁmvaj (m.)	tram, street-car
tràmvajem	by tram
trèći, a, e	third
trȅšnja (f.)	cherry
trìdeseti, a, o	the thirtieth
tȓg (m.)	square
trgòvina (f.)	trade
trȋ	three
trínaesta (f.)	thirteenth
Trògir (m.)	Trogir, a town on the Croatian coast
Tùheljske Tòplice (pl.)	a place with the spa of Tuheljske toplice, a well-known spa in Croatian Zagorye
Túrci (pl.)	Turks
tùrist (m.)	tourist
turìstički, a, o	tourist
tùrski, a, o	Turkish
tvój, tvòja, tvòje	your

U   U

u	in
ùčenica (f.)	pupil
ùčiti (ùčim)	to learn, to study
štò ùčite?	what are you learning (studying)? ùčimo – we are learning (studying)
úći (úđem)	to come in, to enter, to get into
izvòlite úći	please come in; will you please come in; izvòlite úći u mój àuto – will you get into my car, please
ùdoban, ùdobna, o	comfortable, cosy
i kàko je ùdoban	and how comfortable it is
ùgodan, ùgodna, ùgodno	pleasant
ùkinuti (ùkinem)	abolish

ùkusan, ùkusna, o	tasty, tasteful
kòlač je vȑlo ùkusan	the cake is very tasty
ùlica (f.)	street
ùloga (f.)	role, part
umívati se (ùmivam se)	to wash (oneself)
ùmjetnost (f.)	art
ùmoran, ùmorna, o	tired
jèste li ùmorni?	are you tired?; jèsi li ùmorna (f.) – are you tired?
upòznati (upòznam)	to get to know
ùpravo	just, directly, exactly, precisely
úred (m.)	office
ùskoro	soon, in a short time
ùsluga (f.)	service
uspìnjača (f.)	funicular
ùvala (f.)	cove, small bay
ùvijek	always
uz	besides, in addition
uz to	besides this, in addition to this
ùzeti (ùzmem)	to take
ùzbuđen, a, o	excited
ùzbuđena (f.) sam	I am excited
ùzduž	along
ùzduž òbale	along the coast
uzgájati (ùzgajam)	raise, grow
ùžina (f.)	a light repast; this is an in--between meal served between lunch and dinner (supper)

244

V   V

vàni	outside
vàš, a, e	your
vèčer (m.)	evening
dòbar vèčer	good evening
vèčera (f.)	dinner, supper
štò ìmate za vèčeru?	what have we got for dinner?; hvála na vèčeri – thank you for the dinner (supper)
vèčeras	this evening

vèčerati (vèčeram)
  hòćete li vèčerati?

vèć
vèlik, a, o
vèrmut (m.)
vesèliti se (vesèlim se)
vesélje (n.)
ví
vìdjeti (vìdim)
  vìdiš li?

víno (f.)
  lìtra vína

vìsok, a, o
vjeròjatno, vjèrojatno
vjèžba (f.)
vláda (f.)
vlák (m.)
  vlákom
vòće (pl.)
vòćni, a, o
vòda (f.)
vòditi (vòdim)
vòlja (f.)
vòljeti (vòlim)
  (ja) vòlim
vòziti (vòzim)

ona vòzi ìzletnike i
  plàninare
vòžnja (f.)
vrátiti se (vráćam se)
vrèva (f.)
vŕh (m.)
vrijéme (n.)
  némamo mnògo vrèmena.

to have dinner (supper)
would you like to have din-
  ner?, do you want to have
  dinner?
already
great, big, large
vermouth
to rejoice
merry-making, entertainment
you
to see
can you (s.) see?; žèlimo vìd-
  jeti – we want to see
wine
a litre of wine; izvòlite vína –
  please have some wine
tall, high
probably
lesson
government
train
by train
fruit
fruit
water
to lead, to go, to conduct
wish
to like
I like
to drive or be driven in a car,
  bus, etc.; take, drive, con-
  vey in a vehicle or public
  conveyance; to run (of
  trains and buses)
she takes (carries) excursionists
  and mountaineers
drive, ride
to come back
tumult, crowd, multitude
top
time; weather
we do not have much time;
  vrèmena is the Genitive of
  the noun *vrijéme;* za vrijé-
  me – during

vr̀lo	very
vr̀lo dòbro	very well
vr̀t (m.)	garden
u vr̀tu	in the garden
vrúće	hot
jáko je vrúće	it is very hot

Z   Z

za	for
za vas	for you
zabòraviti (zabòravim)	to forget
zacijèlo	surely, certainly, undoubtedly, I daresay
Zàdar (m.)	Zadar, a town (city) on the Croatian coast
zàdovoljan	satisfied, content, pleased
zágorski, a, o	from Zagorye
246 Zágreb (m.)	Zagreb, capital of Croatia
zágrebački, a, o	Zagreb, from Zagreb
zágrebački tràmvaj	Zagreb tram
zàjednica (f.)	union
Hr̀vatska bràtska zàjednica	Croatian Fraternal Union
zàjedničar (m.)	fraternalist
zàjedno	together
svì zàjedno	all together
zàista	really
òvdje je zàista lijépo	it is really nice here
zàkasniti (zàkasnim)	to be late
zalúdu, ùzalud	in vain, uselessly, of no avail
zanìmljiv, a, o	interesting
zàpjevati (zàpjevam)	to start singing
zàplakati (zàplačem)	to burst into tears
zár	really
zàšto	why
zàtim	then, after, that, afterwards
zàto	therefore, because
zàto štò	because
zàuzeti (zàuzmem)	conquer, capture
zdràv, a, o	healthy
zèlen, a, o	green

zèmlja (f.)	country, native country
Zelénjak (m.)	Zelenjak; the place in the woods, now a park, where Antun Mihanović, a Croatian poet, wrote a poem which later became the Croatian anthem
zgràda (f.)	building
zìdine (m. pl.)	the walls
znáčiti (znáčim)	to mean
znàti (znám, znádem)	to know
zrák (m.)	air
Zrínjevac (m.)	Zrinjevac, name of a square in Zagreb
zvàti (zòvem)	to call
ljúdi ga zòvu	it is called
zvàti se (zòvem se)	to be called, to have a name

Ž   Ž

žào mi je	I am sorry
žbúnje (n.)	shrubs, bushes
žédan, žédna, o	thirsty
žédan sam	I am thirsty
žèljeti (žèlim)	to want
žèlite li?	do you want?; would you like?; žèlite li likéra? – would you like a liqueur?; štò žèlite, gòspođo? – what would you like, madam?, what can I do for you, madam?; žèlimo – we want
žìvot, živòta (m.)	life
žèljeznica (f.)	railway
žèljno	anxiously, eagerly
žèna (f.)	wife
žívjeti (žívim)	to live
žìvot, živòta (m.)	life
žúriti se (žúrim se)	to hurry, to be in a hurry
žút, a, o	yellow

Index-Kazalo

(the references are to pages — brojevi označuju stranice u knjizi)

accents (naglasak) 16

adjectives (pridjevi) 27-8, 96-7
   masculine (muški rod) 27-8, 40, 47, 69
   feminine (ženski rod) 28, 40, 47, 69
   neuter (srednji rod) 40, 69
   plural of (množina), ... 28, 47, 69
   indefinite (neodređeni), ... 96-7, 100, 107-8
   definite (određeni), ... 96-7, 107-8
   declension of indefinite (sklonidba neodređenih), . . 101
   declension of definite (sklonidba određenih), . . . 106-8
   declension of the comparative and the superlative
      (sklonidba komparativa i superlativa) 157
   the adjective stem (osnova pridjeva) 154
   comparative (komparativ) 155-6, 157
   superlative (superlativ) 156, 157
   irregular (nepravilni), ... 156
   pronominal adjective *sam* (zamjenički pridjev *sam*) . 188

adverbs (prilozi)
   adjectival adverbs (pridjevi u službi priloga) 175

alphabet (abeceda) 16

articles (članovi)
   absence of, ... 34

aspect (vid)
   verbal aspect (glagolski vid) 167

assimilation (jotacija) 154
be (to), (biti)
   present tense of (sadašnje vrijeme), ... 32-4, 180-1
   future tense of (buduće vrijeme), ... 117-18
   perfect tense of (perfekt), ... 128-30
   stems of (osnove), ... 185
   imperative of (imperativ ili zapovjedni način), ... 186

conjunctions (veznici)

   and (i) 40

consonants (konsonanti ili suglasnici) 17
  voiced and unvoiced (zvučni i bezvučni) 168
   consonant *b* 23
   consonant *c* 18
   consonant *č* 23
   consonant *ć* 23
   consonant *d* 22
   consonant *dž* 40
   consonant *đ* 35
   consonant *g* 24
   consonant *h* 29
   consonant *j* 22
   consonant *k* 24
   consonant *l* 29-30
   consonant *m* 28
   consonant *n* 29
   consonant *nj* 48
   consonant *p* 28
   consonant *s* 29
   consonant *š* 23
   consonant *t* 24
   consonant *v* 28
   consonant *z* 30
   consonant *ž* 18-19
  consonental changes (konsonentalne
   promjene) 74-5, 168-9

enclitics (enklitike) 147

future tense (buduće vrijeme) 117-18

have (to), (imati)
  present tense of, ... 38-9

imperative (imperativ ili zapovjedni način) 173-4
  imperative of *reći* 174
  imperative of *pomoći* 174

infinitive (infinitiv) 56
  infinitive base (infinitivna osnova) 131-2

interrogative conjunction (upitna čestica) *zar* 119

mobile *a* (nepostojano *a*) 52, 75-6

nouns (imenice)
  masculine (muški rod), ... 34, 39, 51-2
  feminine (ženski rod), ... 34, 39-40, 63
  neuter (srednji rod), ... 39, 56

declension of m. nouns (sklonidba
imenica m. roda) 44-5
declension of f. nouns (sklonidba
imenica ž. roda) 55, 124
declension of n. nouns (sklonidba
imenica s. roda) 68
daughter (kći) 40
flowers (cvijeće) 46

past participle
   active past participle (pridjev radni ili aktivni) . . . 130-1
   — of *vidjeti* 132
   — of *živjeti* 132
   — of *reći* 136
   — of *jesti* 136
   — of *ići* 175

perfect tense (perfekt ili prošlo vrijeme) 128-30
   use of, ... 136

prepositions (prijedlozi) 69-70
   do (to, as far as, till, until) 132
   duž (along) 175
   iz (from) 125
   kod (at) 175
   kraj (near, beside) 162
   na (on, for, in) 76
   nasuprot (opposite, facing) 143
   o (about) 83
   od (from, of, than) 175
   osim (besides) 175
   s, sa (with) 157
   u (in, to, into) 69-70
   za (for, behind) 119

present conditional (kondicional prvi) 161-2

present tense (sadašnje vrijeme) 88-9
   — of *biti* (to be) 32-4
   — of *htjeti* (to want, to wish for) 112-13
   — of *ići* (to go) 61-2
   — of *imati* (to have) 38-9
   — of *kupovati* (to buy) 81-2
   — of *moći* (to be able) 87-88
   — of *voljeti* (to like) 46-7

pronouns (zamjenice)
   masculine (muški rod) 34, 47

feminine (ženski rod) 34
neuter (srednji rod) 82
pronoun *on* 142-3
pronoun *ona* 131, 143
pronoun *one* 131
demonstrative pronouns (pokazne zamjenice)
    ovaj, taj, onaj 181
personal (lične), ... 140-3, 147-9
possessive (posvojne), ... 82
possessive pronoun (posvojna zamjenica) *svoj, a, e* . 186-7
reflexive pronoun (lična povratna zamjenica)
    sebe ili *se* 149-50

pronunciation (izgovor) 16

verbs (glagoli) 88-9
imperfective and perfective (nesvršeni i svršeni), . . 88-9
reflexive (refleksivni), ... 95-6
verb (glagol) *vidjeti* 132
verb (glagol) *živjeti* 132
verbal aspect (glagolski vid) 167

vowels (samoglasnici) 17
vowel (samoglasnik) *a* 17
vowel *e* 21
vowel *i* 22
vowel *o* 17
vowel *u* 22
vowel, consonant (samoglasnik, suglasnik) *r* 18

you (ti, vi) 34

Mozaik knjiga, d.d.
Zagreb, Tomićeva 5 a

_____

Za nakladnika: Stipan Medak

Grafički uredio: Mladen Kuzmanović

Likovna oprema: Mladen Engelsfeld i
Srećko Jolić

Tisak: ZRINSKI d.d.. Čakovec
Naklada: 2000 primjeraka
1996

CIP - Katalogizacija u publikaciji
Nacionalna i sveučilišna biblioteka, Zagreb

UDK 808.62(075.4)=20

ENGELSFELD, Mladen
    Croatian Through Conversation = Hrvat-
ski u razgovoru / Mladen Engelsfeld. - 8th
edition - Zagreb : Mozaik knjiga,
1996. - 247 str. ; 20 cm

ISBN 953-173-202-7

930701047